SUPER UE FELTRINELLI

SUPER UE

ALESSANDRO BARICCO
NEXT
Piccolo libro sulla globalizzazione
e sul mondo che verrà

FELTRINELLI

© Giangiacomo Feltrinelli Editore Milano
Prima edizione nell'"Universale Economica" – SUPER UE
febbraio 2002
Settima edizione settembre 2002

ISBN 88-07-84014-6

PREMESSA

Questo libro è nato qualche mese fa. C'era il G8 a Genova. E successe quel che successe. Io ero da tutta un'altra parte, e come tanti stavo davanti al televisore, a cercare di capire. Tra le tante domande che mi passavano per la testa c'era anche: perché non sono lì? Perché, per l'ennesima volta, c'è gente che sfila, o si picchia, o muore, e io non sono lì? Una volta tanto avevo anche la risposta: non sono lì perché non saprei da che parte stare, perché so poco della globalizzazione, forse non so nemmeno esattamente cos'è, e quindi non sono lì. Fino a quel momento, a dir la verità, non mi era sembrato troppo grave non avere un'idea precisa sulla globalizzazione. In quel momento mi sembrò, improvvisamente, non solo grave ma anche abbastanza penoso, e sorprendente, e assurdo. Per cui, come molti altri, da quel giorno mi son messo lì, con pazienza, a cercare di capire. Non è mai troppo tardi.

Alla fine mi son ritrovato in mente una serie di

idee che non erano risposte e nemmeno certezze, ma erano, mi sembrava, un modo di cercare un paesaggio appropriato alle domande a cui non sapevo rispondere. Meglio che niente, ho pensato. E ho raccolto quelle idee in quattro lunghi articoli che ho pubblicato su "Repubblica".

Quando gli articoli sono usciti, mi sono arrivate un po' di lettere. Quasi tutte molto aggressive, quasi tutte piuttosto sprezzanti. Gli dava molto fastidio che uno scrittore si mettesse lì a fargli la lezione su un tema che non c'entrava niente con il suo mestiere. Alcuni erano a favore della globalizzazione, altri contrari. Ma il risultato era lo stesso. Si stupivano di quello che avevo il coraggio di dire e mi invitavano a tornare a scrivere romanzi. Alcuni mi suggerivano di lasciar perdere anche quello.

Ho cercato di non prenderlo come un fatto personale, e ci'ho pensato un po' su. Quando ho finito di pensare avevo deciso di prendere i quattro articoli e farne un piccolo libro.

Non è per spirito di polemica. È che ci credo. La globalizzazione è un problema che riguarda tutti e su cui tutti hanno idee piuttosto confuse, nessuno escluso. Bisogna essere docenti di economia politica per riuscire a essere utili nello spiegare un po' com'è la faccenda? Non credo. Anzi. Ognuno può dare il suo contributo. Uno scrittore, ad esempio, può offrire due vantaggi: il primo è che, per il mestiere che fa, può riuscire a essere più chiaro di un docente universitario o di un ministro dell'Economia. Il secondo è che, appunto, fa un mestiere che non c'entra niente e quindi, almeno sulla carta, può vedere le cose da lontano, senza essere troppo condizionato da pregiudizi e interessi vari. Poi magari può sbagliare. Ma non perché è uno scrittore. Se mai, *nonostante* il fatto che sia uno scrittore.

Così ho ripreso in mano i quattro articoli, ho aggiustato dei passaggi che non mi convincevano e ho aggiunto delle parti che, per ragioni di spazio, non avevo pubblicato. E ho fatto questo libro. Non è il libro di un esperto. È un libro che, nel modo più semplice, cerca di capire cos'è la gobalizzazione, usando i contributi degli esperti e una buona dose di ingenuità. Se non fosse che mio figlio se ne frega, è il tipo di libro che uno potrebbe intitolare: *La globalizzazione spiegata a mio figlio*. Cioè, non è che se ne freghi. È che ha tre anni. Gli piacciono i dinosauri.

Il lettore troverà, lungo il testo, dei titoletti: rinviano ad alcune annotazioni che troverà in coda al volume (*bonus tracks*). Alle volte chiariscono il testo, alle volte aggiungono del materiale, alle volte sono digressioni pure e semplici. Non è obbligatorio leggerle. Ma a me è sembrato doveroso scriverle.

Aggiungo due ringraziamenti. Uno a Ezio Mauro, perché mi ha spinto a scrivere quegli articoli in un momento (subito dopo l'11 settembre) in cui la globalizzazione era, da un punto di vista giornalistico, un argomento morto. E l'altro a Riccardo Staglianò, che mi ha aiutato nel lavoro di ricerca, comprando pannolini in rete e parlando con i monaci tibetani. Grazie.

Torino, dicembre 2001

AB

1.

Ovviamente la prima domanda che viene in mente è: cosa diavolo è la globalizzazione? O meglio: cosa vogliamo dire quando usiamo la parola "globalizzazione"? Purtroppo, un'unica risposta, fondata e unanime, non c'è. Ce ne sono tante, ma, guarda caso, ognuna rende imprecisa l'altra, e nessuna sembra più vera delle altre. Così mi è tornata in mente quella vecchia battuta: non c'è una definizione della stupidità, però ce ne sono molti esempi. Metodo induttivo, si diceva a scuola. Non c'è una definizione della globalizzazione: però ce ne sono molti esempi. Per cui sono andato a caccia di esempi. Ho usato un metodo molto amatoriale, ma che mi sembrava appropriato. Ho chiesto alla gente di farmi degli esempi. Tutta gente che non saprebbe rispondere alla domanda "Cos'è la globalizzazione?", ma che, a richiesta, sapeva farmene degli esempi. Gente normale, insomma. Tra i tanti esempi sentiti, ne ho scelti sei. Li riporto qui così come li ho sentiti, perché la vaghezza della formulazione o l'ingenuità delle parole usate sono a loro volta significative, insegnano delle cose e fanno riflettere. Eccoli qua:

1. Vai in qualsiasi posto del mondo e ci trovi la Coca-Cola. O le Nike. O le Marlboro.

2. Possiamo comprare azioni in tutte le Borse del mondo, investendo in aziende di qualsiasi paese.

3. I monaci tibetani collegati a Internet.

4. Il fatto che la mia auto sia costruita a pezzi, un po' in Sud America, un po' in Asia, un po' in Europa e magari un po' negli Stati Uniti.

5. Mi seggo al computer e posso comprare tutto quel che voglio on line.

6. Il fatto che dappertutto, nel mondo, hanno visto l'ultimo film di Spielberg, o si vestono come Madonna, o tirano a canestro come Michael Jordan.

Voilà. Se vi sembrano esempi scemi, provate a chiederne di migliori in giro, e poi vedrete. Bene o male, rappresentano ciò che la gente crede sia la globalizzazione. Ora: ho imparato che c'è una sola domanda utile da farsi davanti a questi esempi, ed è una domanda apparentemente ingenua: sono veri? Questi esempi, sono veri? Raccontano fatti reali? Sono esempi veri di globalizzazione? Non chiedetevi se siete pro o contro. Chiedetevi: sono veri?

bonus tracks
ESEMPI

Prendiamo la storia di Internet, e l'idea che ci si possa comprare tutto quel che si vuole. È vero? Un'a-

bonus tracks
CANDIDE

spirina, un libro in italiano, un mobile d'antiquariato, un biglietto aereo di una linea straniera, una bottiglia di vino francese, un computer, un pacco di pannolini, una stampante. Seduto davanti al mio computer, ho provato a comprarli. Risultato: niente aspirina e niente automobile. Ma il resto, avendo pazienza e una certa fortuna, lo si può effettivamente comprare. Non starei a formalizzarmi sull'aspirina, e quanto all'auto, non conosco gente così imbecille da aspirare a comprarsela in rete. Quindi potrei concludere che l'esempio è vero. Potrei. Ma adesso sentite qui: i pannolini li ho comprati nel sito delle Coop. È un bel sito, in cui (se abitate a Milano, Roma o Bologna) potete ordinare tutto quello che trovereste in una Coop, e farvelo mandare a casa. Potete farlo. Ma la domanda è: *quanti lo fanno davvero?* Risposta delle Coop: i soldi che prendiamo dal commercio on line rappresentano lo 0,008 per cento del nostro fatturato. Si potrebbe pensare che le casalinghe, tutto sommato, non siano un esempio probante, e forse è vero. Okay, cambiamo esempio. I libri. In genere, quelli che leggono, un computer dovrebbero averlo, no? Bene. Ogni cento libri venduti in Italia, quanti sono comprati on line? Mezzo. Pochino, vero? Non è finita: sapete quanti libri si vendono con il vecchio, obsoleto, ridicolo sistema delle vendite per corrispondenza? Dieci su cento. Che vuol dire: venti volte quelli che si vendono via Internet.

Ora la domanda è: perché quei dieci che comprano i libri per posta non significano niente, e quel mezzo lettore che li compra on line sì? Perché i 199 che vanno in libreria significano meno, per la gente, dell'unico, eccentrico, che preferisce attaccarsi al computer? Perché in lui vediamo il nostro futuro e perfino il nostro presente e negli altri 199 (tra cui con ogni probabilità ci siamo anche noi) non vediamo niente?

La Borsa. È vero che possiamo comprare in tutte le Borse del mondo? Sì, è vero. Si può dire di più: non è sempre stato così, e quindi è un esempio reale di qualcosa che è cambiato nell'ultimo decennio e che ha modificato drasticamente le abitudini degli investitori. Detto questo, mi viene in mente una vicenda di poco tempo fa. I francesi cercano di comprarsi la Montedison. Interviene il governo italiano e blocca l'operazione. Risultato: i francesi sono costretti a farsi comprare la Montedison da Agnelli. Come, in passato, e per restare a esempi nostrani, la Pirelli non aveva potuto comprarsi la Continental (pneumatici tedeschi), e De Benedetti non aveva potuto comprarsi la SGB (mezzo Belgio). Ci capisco poco di queste storie, ma una cosa la intuisco: se la liberalizzazione delle Borse è un esempio di globalizzazione, descrive una globalizzazione che si ferma, però, davanti ai centri nervosi del pianeta, e in realtà non li intacca. Gran movimento a centrocampo ma pochi gol. Tutto sommato, per definire un fenomeno del genere, basterebbe la meno impegnativa e non nuova parola *internazionalizzazione*: cioè qualcosa che non genera l'immagine di un pianeta convertito in unico paese, ma più modestamente quella di un pianeta composto di paesi in grado di scambiare denaro più e meglio che in passato. Lo spettro del Global sembra ancora piuttosto lontano. Metto da parte l'indizio, e vado avanti.

La Coca-Cola. In genere l'impressione che venda dappertutto è generata dal fatto che in quei quattro o cinque viaggi fatti in paesi strani, si è sempre visto, nei posti più assurdi, l'inconfondibile marchio rosso con la scritta bianca. Forse bisognerebbe controllare. Interrogata, la Coca-Cola risponde che non è solo un'impressione: vendono i loro prodotti (non solo la Coca) in circa 200 paesi. Dato che a me risulta che di paesi, nel pianeta, ce ne siano 189, la cosa suona piuttosto strana. Ma comunque: qualsiasi sia il modo di contarli, 200 paesi sono tanti, e si possono anche tradurre nell'espressione "dappertutto". Più interessante mi sembra andare a guardare *dentro* quei dati. Dove si può scoprire, ad esempio, il reale potere di penetrazione della Coca-Cola nelle abitudini di un paese. Un americano beve, in media, 380 bottigliette di bevande della Coca-Cola ogni anno (tra parentesi: come fa?). Un italiano, 102. Un russo, 26. Un indiano, 4. È l'indiano, che mi interessa. Quattro volte l'anno è un numero ridicolo. Se penso a cosa mangio io, solo quattro volte l'anno, devo pen-

bonus tracks
COCA-COLA

bonus tracks
STATISTICHE

sarci un po', e alla fine mi viene, ad esempio, il sushi. Che incidenza ha il sushi sul mio stile di vita? Zero. Che influenza ha la Coca-Cola sulla cultura indiana? Minore di quella che istintivamente pensiamo. Dire che la Coca è dappertutto, è vero: dire che *conta* dappertutto, è un'estensione discutibile. È una deduzione che ci fa comodo ma che deduce il falso. Allora la domanda da farsi diventa: come mai le quattro bottigliette di Coca che beve l'indiano significano qualcosa, e le centinaia di bottigliette di Coca che *non* beve non significano niente? Oppure: come mai i litri di Coca-Cola che già vent'anni fa si scolava un brasiliano si chiamavano commercio estero, e le quattro bottigliette dell'indiano si chiamano globalizzazione?

Poi c'è la storia dei monaci tibetani. L'immagine dei monaci che, dal loro monastero in Tibet, navigano allegramente in rete nasce da una campagna pubblicitaria della IBM di qualche anno fa ("Soluzioni per un piccolo pianeta"). Come immagine pubblicitaria è geniale. In modo sintetico, suggerisce quella contrazione di spazio e di tempo che sarebbe esattamente il marchio della globalizzazione: i monaci sono qualcosa di antico e di geograficamente molto lontano eppure navigano in rete, cioè convergono felicemente nel cuore del mondo, nel qui e ora. Se lo fanno loro, cosa aspettate a farlo voi? Sintetico e geniale. Talmente geniale, e facile da usare, che la gente, istintivamente, ne ha fatto un'icona totemica, e si è messa a usarla. Funziona così bene che i più hanno smesso anche di chiedersi se è vera, reputando la cosa di scarsa importanza. I monaci tibetani navigano *davvero* in rete? Ecco una domanda diventata inutile. Utile, però, è la risposta: no. I monaci tibetani *non* navigano in rete. Interrogato al proposito, il portavoce dell'Office of Tibet a Londra ha energicamente escluso che lo possano fare. Ha anche aggiunto un'osservazione che chiarisce la situazione: "Se circola una voce del genere è probabile che sia propaganda cinese".

Dato che ormai si sarà capito che cosa voglio dire quando dico che bisogna chiedersi se quegli esempi siano veri, sui due esempi che restano vado via veloce. È vero che molte aziende ormai producono all'estero, scegliendo accuratamente dove costa meno farlo. Non fanno eccezione le aziende automobilistiche. Se però vogliamo, ancora una volta, attenerci ai fatti, avrei una notiziola da dare: se avete un'auto del Gruppo FIAT, e non è una Palio o una Siena, la vostra macchina è fatta sostanzialmente in Italia. Qualcosa vorrà *bonus tracks* AUTOMOBILI

dire. Quanto ai film di Spielberg, a Madonna e a Michael Jordan, c'è un'espressione ben precisa per definire cosa sono: colonizzazione culturale. La globalizzazione implicherebbe un flusso circolare di denaro e prodotti. Ma, se prendiamo ad esempio il cinema, le cose stanno così: il mondo vede i film americani, gli americani non vedono i film del mondo. Ho guardato le classifiche degli incassi dell'ultimo weekend: ho trovato un solo paese, nel mondo, che avesse tra i primi dieci incassi almeno tre film non americani (l'India). Ho trovato un solo paese che avesse tra i primi dieci incassi un film straniero non americano. In compenso: nella classifica *all time* dei film visti dagli americani, quanti film non americani ci sono nei primi cento? Uno (non aspettatevi chissà che: *Mr. Crocodile Dundee*, australiano). Perché chiamare tutto questo globalizzazione? Perché non chiamarlo col suo nome: colonialismo?

Me la vedo già la reazione seccata: adesso arriva questo a spiegarci che la globalizzazione non esiste. Per cui mi fermo, e chiarisco. Non sto cercando di dimostrare che la globalizzazione non esiste: non lo so, io, se esiste. Quel che sto cercando di far notare è una certa tendenza collettiva a definire la globalizzazione ricorrendo a esempi palesemente falsi (i monaci tibetani che navigano in Internet), o veri a metà (la liberalizzazione del mercato finanziario) o veri ma quantitativamente irrilevanti (l'indiano che beve la Coca, quelli che comprano i pannolini in rete). Come mai, su un tema così importante, ci concediamo svarioni di questo tipo? Non può essere solo una questione di ignoranza. C'è una propensione alla proiezione fantastica che deve suonare sospetta. Vediamo uno che compra libri in rete e, invece di notare come gli altri 199 non pensino nemmeno lontanamente a farlo, identifichiamo quello lì come esempio della globalizzazione: sarebbe un po' come indicare due che scopano e sostenere che sono un esempio di un'orgia (gli altri sono un po' in ritardo): di solito non ragioniamo con simili, allegre, acrobazie logiche. E allora cosa significa questa strana sospensione del buon senso e del realismo? Dove nasce questa curiosa forma di strabismo che ci porta a vedere solo i sintomi della malattia che vogliamo trovare, e non gli altri? Come è spiegabile questa collettiva voglia – questa *fretta* – di usare la categoria di globalizzazione a prescindere da ciò che accade veramente nel pianeta? A chi conviene che la gente guardi il mondo in quella buffa maniera? È accaduto tutto così, naturalmente, o c'è qualcuno che ha lavorato alla grande per procurare al pianeta (o meglio: all'Occidente) questo singolare strabismo?

Proviamo con una storiella. Siete a passeggio, in centro, il sabato pomeriggio, in mezzo a un sacco di gente. Improvvisamente vedete quattro persone (non di più: quattro) mettersi a correre all'impazzata gridando di terrore. In una frazione di secondo vi trovate a dover decidere tra queste due possibilità: sono quattro pazzi o sono quattro persone che hanno visto qualcosa che voi non avete visto: una casa che sta crollando sulla vostra testa, o un pazzo che impugna un mitra e sta per sparare. Se optate per la prima, continuate la vostra passeggiata scuotendo la testa. Se scegliete la seconda, iniziate a correre e a gridare. Mentre state pensando a tutto questo, altri umani, più veloci di voi, hanno già deciso e stanno già correndo. I quattro sono diventati magari venti. Il vostro cervello lavora, e giustamente inizia a inclinare per la fuga. È sorprendente come in una circostanza simile ciò che fanno in quattro, o in venti, conti più di quello che *non* fanno gli altri mille. Ma è così. Prima o poi, c'è da giurarlo, vi mettete a strillare e a correre anche voi. Influenzando, a vostra volta, altri umani ancora più irresoluti di voi. Se, in quel momento, qualcuno vi fermasse e vi chiedesse "Cosa sta succedendo?", voi, in realtà, non sapreste esattamente cosa rispondere. Probabilmente direste: *stanno fuggendo tutti*. Se qualcuno vi ferma e vi chiede "Cos'è la globalizzazione?", facilmente voi dovreste ammettere che non lo sapete. Ma fareste degli esempi: posso comprare tutto in Internet, la Coca-Cola è dappertutto, i monaci tibetani navigano in rete, e posso comprare azioni in tutte le Borse del mondo. Stanno fuggendo tutti. In realtà quelli che stanno fuggendo sono ancora solo venti su mille, e magari non stanno nemmeno fuggendo, stanno solo correndo, o magari sono pazzi, o magari sta solo arrivando il pullman: ma quello che vi ritrovate a dire è: stanno fuggendo tutti. È tutto ciò che potete dire. E ciò che è più importante: *mentre state fuggendo*.

È ciò che sta succedendo nella testa della gente a riguardo della globalizzazione? Credo di sì. Un meccanismo del genere si sta macinando il mondo, o quanto meno l'Occidente. Il che ci introduce al cuore del problema. Che è una domanda: chi ha organizzato il gioco? Chi ha fatto crollare la casa sulla testa della gente o ha assoldato i primi quattro che scappavano? Non è pensabile che tutto sia iniziato per caso, e neanche che tutto possa andare così liscio, dopo, come una slavina. C'è troppa forza di inerzia, nello scivolare del pianeta verso la globalizzazione, per credere che non sia un cammino guidato, perfino controllato, passo dopo passo, e costantemente alimentato. Non basta capire come funziona il motore: sarebbe utile sapere chi sta continuando a metterci la benzina.

Allora una cosa che può essere utile è pensare semplice. Come sempre, quando le cose sono troppo complicate. Pensare semplice. Qual è il propellente della globalizzazione? I soldi. Forse non è inutile ricordarlo: ridotta all'osso e privata degli orpelli, la globalizzazione è una faccenda di soldi. È un movimento del denaro. È il denaro che cerca un campo da gioco più vasto, perché confinato nel solito terreno non può moltiplicarsi più di tanto e muore d'asfissia. Se voi producete stracchino, e siete diventato il leader del settore, e non potete pretendere che la gente della vostra città spenda ancora più soldi per comprare stracchino di quelli che già spende, allora, se volete continuare ad arricchirvi, avete una sola possibilità: vendere il vostro stracchino nella città vicina, e magari andarlo a produrre là, mungendo le vacche altrui. Per secoli, praticare questo trucchetto ha significato una sola cosa: fare la guerra. Invadere la città vicina. Comunque ve l'abbiano raccontata, la guerra è sempre stata fatta per rimettere in movimento i soldi, per conquistare altri mercati, per entrare in possesso di risorse altrui. Per far respirare il denaro. E qui diventa evidente la rivoluzionaria anomalia della globalizzazione: che, di fatto, è un sistema studiato per far respirare il denaro *attraverso la pace*. Non solo non le serve la guerra: *ha bisogno* della pace. Non venderete mai stracchino in un paese in guerra col vostro; né andrete a produrlo in un posto che rischia di essere bombardato, neanche se vi regalano il latte. Anche solo come ipotesi, la globalizzazione non sarebbe mai potuta nascere se non in un mondo senza guerra. Non voglio dire che il denaro è diventato improvvisamente buono, e ha deciso di non usare più lo strumento della guerra: voglio dire che in questo momento gli sembra tecnicamente più facile usare la pace. Il prezzo della guerra è diventato talmente alto, in termini di sofferenza e di destabilizzazione del sistema, da suggerire un'altra tecnica. Il denaro occidentale ha conquistato i paesi comunisti sostanzialmente comprandoli: la soluzione si è dimostrata infinitamente più pratica che sganciare un paio di bombe atomiche. Solo cinquant'anni fa, sganciarle era ancora l'unico sistema conosciuto.

bonus tracks
VONNEGUT

Non è difficile capire come questa sia una svolta vertiginosa, e, in un certo senso, una "prima volta" nella storia dell'umanità. Il denaro che decide di muoversi non usando la guerra ma usando la pace. Il minimo che si possa immaginare è che i problemi siano molti e che tutto ciò sia realizzabile solo a condizione di una decisione collettiva, di una adesione di massa, anche irrazionale, al progetto. Ed è qui, in questo esatto punto, che nasce la parola *globalizzazione* e il suo mito. Se posso fare un paragone, quello che mi viene in mente è il West. Anche lì l'obiettivo era di allargare il terreno di gioco del denaro per permettergli di riprodursi. La cosa si presentava in termini molto elementari: il West era l'allargamento ideale del campo da gioco: chilometri di terra solo da andare a prendere e da riempire di consumatori. L'unico problema era, per il mondo di allora, la distanza. Ed ecco la soluzione: la ferrovia. Un po' come Internet oggi, la ferrovia riduceva gli spazi e il tempo. Avvicinava quello che era lontano. Faceva di uno spazio enorme un unico paese. Bisognava però costruirla, e per farlo occorreva denaro, e per trovarlo bisognava che un po' di gente ci rischiasse i propri soldi, e ancor di più bisognava che un sacco di gente pensasse realmente di salire su quel treno e di andarsi a rifare una vita a migliaia di chilometri di distanza. Bisognava che un sacco di gente credesse che il West esisteva davvero. Bisognava spingere la gente al di là di quello che poteva ragionevolmente verificare, e portarla a credere senza toccare, a fidarsi senza avere le prove, e desiderare qualcosa senza nemmeno sapere bene cosa fosse. Bisognava rendere il West reale nella testa della gente, prima ancora che diventasse qualcosa di vero nella realtà. Non sarebbero mai partite, quelle ferrovie, se non fossero riusciti a metterci sopra, prima ancora di costruirle, la fantasia della gente. Non avrebbero nemmeno trovato i soldi per farle. Il West è il prototipo perfetto di una particolare merce, destinata al successo: qualcosa che non esiste ma che può diventare reale a condizione che tutti credano che esista.

Dieci anni fa, la globalizzazione era esattamente una cosa del genere. Una cosa che non esisteva ma che poteva diventare reale: a patto che tutti si convincessero che esisteva. I capitali hanno costruito le ferrovie: sono andati a produrre in paesi lontani, hanno imparato a usare la pace per poter accedere a mercati fino ad allora preclusi, hanno abbattuto gli steccati che asfissiavano i mercati finanziari, hanno cavalcato la rivoluzione di Internet, hanno moltiplicato le possibilità di consumo, hanno rischiato capitali immensi per costruire binari dappertutto. Ma per far partire effettivamente il treno bisognava che il mondo ci salisse sopra. Per mettere in movimento il denaro, bisognava che si muovessero i soldi di tutti. Per costruire un nuovo campo di gioco era necessario che tutti avessero voglia di scendere in campo. In un certo senso era necessario che l'immaginazione collettiva saltasse al di là dei fatti, per poi tirarseli dietro. Quel salto nell'immaginario, ha un nome: globalizzazione. Il nostro West.

Globalizzazione è il nome che diamo a cose come internazionalismo, colonialismo, modernizzazione, quando decidiamo di sommarle ed elevarle ad avventura collettiva, epocale, epica. Chiedersi se esiste o no, è una domanda senza risposta perché è una domanda mal posta: dipende. Contrariamente alle apparenze, gli esempi che la gente fornisce per definire la globalizzazione non sono scemi, ma mirabilmente esatti, e aiutano proprio a formulare quella domanda in modo più corretto. Proprio perché sono falsi, o veri a metà, o irrilevanti, colgono nel segno: dicono che la globalizzazione è una proiezione fantastica che, se considerata reale, diventerà reale. Prendete i soliti monaci. I monaci tibetani non navigano in rete, ma se tutti pensano che lo facciano, e tutti si comportano di conseguenza, tutti finiranno per produrre un mondo in cui i monaci tibetani navigheranno effettivamente in rete. C'è una definizione più esatta di globalizzazione?

La globalizzazione è un paesaggio ipotetico, fondato su un'idea: dare al denaro il terreno di gioco più ampio possibile. Chi ha inventato quel paesaggio, e chi lo sponsorizza ogni giorno? Il denaro. Quello dei grandi capitali, certo, ma anche il nostro, il piccolo denaro di chi lavora normalmente e si accorge, se ci pensa bene, che la struttura in cui lavora sta spingendo verso la globalizzazione, magari soltanto aprendo un sito WEB, o tentando l'e-commerce, o pubblicando una notizia piuttosto che un'altra, o muovendosi, nel proprio piccolo, come se la globalizzazione fosse già in atto. Più di quanto si creda, è stato questo formicaio di minuscole microattività a segnare il decollo definitivo della globalizzazione, come slogan e come progetto. Quel che è successo è che, a furia di piccole mosse – apparentemente poco più che il sensato allinearsi a un normale processo di modernizzazione –, milioni di individui hanno finito per svegliarsi un giorno e scoprire che, improvvisamente, il Nuovo Mondo era diventato un'Impresa in cui avevano investito già abbastanza per non poter sopravvivere a un suo eventuale fallimento. È sorprendente come quella che era giusto un'ipotesi sia divenuta, di colpo, una scelta obbligata. Quando ancora non si era capito bene cos'era, già non se ne poteva più fare a meno. Così la globalizzazione è divenuta necessaria: e la pressione ad adottarla come slogan, di conseguenza, ossessiva. Il luogo comune che vuole la globalizzazione "inarrestabile" si è irrigidito a totem indiscutibile. E la forza di inerzia che già spingeva in quella direzione è sembrata assumere la forza di una reale, unanime, determinata volontà collettiva. C'è da stupirsi? Non tanto. In passato, e ripetutamente, il denaro è riuscito a portare milioni di umani in prima linea a farsi ammazzare: perché non dovrebbe riuscire a convincerli di essere così fortunati da abitare il paese del Bengodi? Per la sola misera ragione che quel paese non esiste ancora? In cambio del paradiso, siamo attrezzati per subire menzogne anche peggiori.

Ce ne sarebbe abbastanza per pensare che ormai il paesaggio è quello, e quel Nuovo Mondo è inevitabile. Ma è anche vero che non tutto sta filando liscio come il denaro avrebbe sperato. Tanto più è forte e invasivo, tanto più il mito della globalizzazione è destinato a generare ribellioni. Proprio la sua necessità di

bonus tracks
NEW ECONOMY

appoggiarsi a una certa unanimità lo condanna a su-
scitare dissenso. Per quanto si prometta denaro e be-
nessere a tutti, la stessa categoria di tutti ne esce fatal-
mente ridimensionata: è ragionevole pensare a un "tutti" in cui figura la parte più attiva, forte, produttiva del
pianeta: ma da cui risultano escluse le frange deboli,
irregolari o indisciplinate del sistema. Per quanto sia
deprecabile, non si fa il West senza sterminare gli indiani. Per cui, a livello planetario, i contromovimenti
al lieto scivolare dell'Occidente verso la globalizzazione, sono innumerevoli. E qui si trat-
terebbe di capire la geografia di una
bonus tracks   tale rivolta: ma non è facile. In molti,
TWIN TOWERS   ad esempio, hanno interpretato come
antiglobalizzazione l'attentato alle
Twin Towers. Vero? Falso? Difficile
dirlo. Così come è difficile interpretare l'atteggiamento di molti paesi del Terzo Mondo, apparentemente
ansiosi di offrire ossigeno alla globalizzazione, ma in
realtà piuttosto insofferenti nei confronti di quello che,
non completamente a torto, interpretano come il
trionfo dell'impero americano. Così, in definitiva, ciò
che si può fare è attenersi a studiare, e possibilmente
capire, la parte più facilmente leggibile, e scoperta, della rivolta: il movimento dei no global. Per quanto nato dalla somma di componenti assolutamente diverse
tra di loro, quel movimento ha ormai un suo profilo
chiaro e sufficientemente unitario. I no global sono
quelli che, d'improvviso, son scesi dal treno. Il West
gli puzzava. E sono scesi. E hanno detto che la nuova

frontiera non è la loro nuova frontiera. È un sogno di altri. E un sogno nemmeno tanto pulito.

Cosa pensare di loro? Son dei pazzi o son gli unici rimasti lucidi? Son dei luddisti o dei profeti? Condannano i poveri del pianeta alla miseria, o li difendono? Ho in mente una copertina di "The Economist" (una delle letture preferite dai ricchi della terra), uscita all'indomani dei fatti di Seattle (novembre 1999: fu praticamente la nascita del movimento: bloccarono il vertice del WTO e tutti scoprirono due cose: che loro esistevano, e che esisteva il WTO). Era una copertina feroce. Un solo grande titolo: CHI HA PERSO A SEATTLE? E poi, sotto, una foto: una mamma e un bambino, probabilmente indiani, certamente poveri, definitivamente sconfitti. In bianco e nero, mi sembra.

Se da qualche parte del mondo, qualcuno si prende la briga di pubblicare una copertina così, allora lì c'è qualcosa da capire.

2.

Torniamo a Genova, e proviamo a partire da lì. Perché si fa un G8? Perché otto famosissimi capi di stato che potrebbero tranquillamente riunirsi in videoconferenza, o trovarsi clandestinamente in una fattoria del Connecticut, si mettono in vetrina costringendo un'intera città a militarizzarsi? Forse perché sono scemi? No: perché sono uno spot. Non sono lì a decidere qualcosa (potrebbero farlo benissimo in altri modi), sono lì per farsi vedere. Sono lì a fare i testimonial. Di che? Della globalizzazione. Sono lì a dire che mezzo pianeta si muove ormai come un unico paese. Sono lì a testimoniare che il West c'è, è vero, ed è già una figata pazzesca. Sono lì perché così li vede il piccolo industriale veneto che ha i suoi primi timidi commerci con la Russia, e si convince che non deve aver paura a investire laggiù; sono lì per dire davanti al pianeta che si piacciono e non si faranno mai la guerra, e che quindi le multinazionali possono andar tranquille, costruire, far girare denaro, e aspettarsi milioni di volonterosi consumatori;

sono lì per attestare che sono ricchi, volenterosi e moderni, così ai media sarà più difficile mantener la lucidità per capire se lo sono veramente; sono lì per comunicare ottimismo, fiducia nel futuro, e unità di intenti: lubrificanti senza i quali il motore della globalizzazione finirebbe in pezzi. Sono lì per vendere il West: il sogno del West.

E i ragazzi in tuta bianca? Che ci facevano lì, a Genova? Interrompevano lo spot. Pisciavano sul dépliant. Stracciavano il grande manifesto. Non interrompevano la globalizzazione: ne boicottavano la campagna pubblicitaria. Istintivamente, miravano al cuore della faccenda. Sfilare a Genova, davanti al grande spot, e non in Indonesia, davanti a una fabbrica di scarpe Nike, non è solo più pratico: colpisce la globalizzazione là dove è più debole: nell'istante in cui vende se stessa alla gente. Sfasciare tutti i McDonald's della terra è tremendamente faticoso: ridicolizzare i testimonial che ce li vorrebbero far passare come una fortuna, questo ha l'aria di essere più efficace. Dunque: ecco una cosa da capire sui no global: prima ancora di chiedersi cosa pensano del mondo globalizzato, quelli si indignano per come ce lo stanno vendendo, e per la propensione collettiva a bersi l'epopea di quel misterioso West senza farsi troppe domande. Soprattutto i più giovani: sono no global perché è un modo di provare ad avere un cervello libero, indipendente, non ipnotizzato dalle grancasse del potere: hanno voglia di uscire dal gregge, e di sbeffeggiare il pastore. Poi magari non sanno nemmeno bene cos'è la globalizzazione, o non ci hanno mai veramente ragionato su. Ma, d'istinto, fanno casino. Che sia Vietnam o globalizzazione, cambia poi poco: c'è sempre una fetta di umanità che non ci sta, che si rivolta all'inerzia con cui la maggioranza adotta gli slogan che qualcuno ha inventato per loro. Sono i ribelli. Dovremmo condannarli, per la sola ragione che non saprebbero sostenere un dibattito sulla globalizzazione? Non credo. Piuttosto dovremmo difenderli dall'estinzione: sono la nostra assicurazione contro tutti i fascismi. Sono il batticuore che ci tiene svegli, nella notte del nostro buon senso. Dice: sì, ma sulla globalizzazione hanno torto. Anche se fosse vero non importa. La prossima volta avranno ragione, e sarà la salvezza per tutti. Non pioveva il giorno in cui Noè si mise a costruire l'arca. C'era un sole che spaccava le pietre.

Detto questo, è doveroso aggiungere: non sono tutti ribelli e basta. Ce n'è un sacco che sanno di cosa parlano, credono sinceramente che la globalizzazione sia una pessima idea, e pensano di conoscere bene i guasti che può provocare, o che addirittura già provoca. Molti e autorevoli commentatori li bollano come irresponsabili che rischiano di fermare un processo destinato a produrre ricchezza collettiva, progresso e pace. Possibile che abbiano ragione?

Magari un po' confusamente, e ognuno seguendo i temi che più gli stanno a cuore, i no global portano in superficie un tratto effettivo, mi verrebbe da dire *storico*, della globalizzazione: essa non è solo un ampliamento del campo da gioco, ma anche un cambiamento delle regole del gioco. Detto più semplicemente possibile: il mondo globalizzato è un mondo che si riesce a costruire solo sospendendo una parte consistente delle regole fin qui rispettate. Un buon indizio è il trionfo delle cosiddette "zone franche": pezzi di mondo in cui è possibile produrre e commerciare con una pressione fiscale minima, con insignificanti controlli sindacali, con nessun problema di tutela dell'ambiente: cioè quasi senza regole. Non a caso è lì che le multinazionali (e non solo loro) sono andate a cercare l'ossigeno necessario per realizzare la globalizzazione. Oggi, in quelle zone, lavorano ventisette milioni di persone. Un'enormità. Poiché spesso sono lontane dall'Occidente, danno soprattutto l'allegra impressione di un'economia che si globalizza: ma è indispensabile ricordarsi che esse stanno lì a suggerire qualcosa di più scomodo: la globalizzazione accade dove è possibile giocare duro. Non è un caso, d'altronde, che il progetto della globalizzazione sia nato proprio quando nell'Occidente abbiamo iniziato a inclinare verso una deregulation generalizzata che lasciasse le mani libere agli investitori. Da Reagan e Thatcher fino a Blair e Schroeder, l'idea che si è affermata è che se si vuole moltiplicare il denaro bisogna cinicamente concedergli di circolare in libertà, senza asfissiarlo con troppe regole. L'idea, per quanto possa sembrare cervellotica, è che il miglior modo di aiutare i poveri è aiutare i ricchi a moltiplicare il denaro: qualcosa finirà in tasca anche ai poveri. Vera

o falsa che sia, quell'idea rappresenta il puntello ideo-
logico indispensabile per qualsiasi globalizzazione. È
il prezzo da pagare per l'ingresso al paradiso.

Se cerco un'espressione, semplice e brutale, per
nominare cosa tiene insieme un sistema del genere,
quasi privo di regole, mi viene in mente: la legge del
più forte. Lo scrivo senza prudenze, perché ne sono
convinto: chi vende oggi la globalizzazione chiede in
cambio una libertà d'azione che riconosce un unico
principio regolatore: la legge del più forte. La globalizzazione ha bisogno di una competizione dura, ra-
dicale e impietosa, ha bisogno di grandi profitti per
fare grandi investimenti, ha bisogno di selezione perché fa un gioco duro e non può tirarsi dietro soggetti
ti deboli. Puramente e semplicemente: le serve un terreno di gioco dove l'unica regola sia che il più forte
vince. A costo di semplificare, voglio dire che questo
è l'esatto punto in cui i no global scendono dal treno
e rinunciano al West. Benché le loro rivendicazioni
siano tante e diverse, potete raccoglierle tutte sotto
un unico cappello: il rifiuto di un mondo regolato dalla legge del più forte. Di volta in volta mettono nel
mirino singole tessere del paesaggio: lo sfruttamento
dei lavoratori nei paesi poveri, il divario vertiginoso
tra ricchi e poveri, l'uso e l'abuso dell'ingegneria genetica, l'omologazione culturale, il disprezzo per i diritti dei consumatori. A discuterle una per una si di-
venterebbe vecchi: più utile sembra capire che sono
sintomi diversi di un'unica malattia: l'orientarsi del
pianeta verso una competizione con poche regole, do-

ve quasi tutto è permesso, dove il profitto è l'unico indicatore di forza, e dove il più forte vince, tout court. È quel mondo che i no global, non sempre consapevolmente, tengono nel mirino. Chiedervi se siete pro o contro la globalizzazione non significa chiedervi se siete favorevoli ai cibi transgenici, o se vi piace la Nike, o se vi fa paura la scomparsa dei dialetti, o se le paghe dei cinesi che fanno le vostre scarpe vi sembrano giuste o schifose. Significa chiedervi se, per abitare un mondo più ricco, siete disposti ad abitare un mondo selettivo, competitivo, duro, in cui vige sostanzialmente la legge del più forte, e dove i vincitori vincono e gli sconfitti perdono.

Tanto per aiutare nella risposta, vorrei ricordare che una buona fetta del secolo appena passato è stata dedicata a evitare un mondo del genere. Mai come negli ultimi cent'anni si è cercato esattamente un modo di convivere e di arricchirsi senza essere costretti ad arrendersi alla legge del più forte. In modo eclatante e compiuto, lo hanno fatto due grandi progetti: il socialismo reale e l'idea di stato assistenziale. Adesso suonano entrambi come bestemmie, ma in origine erano esattamente questo: cercare un sistema che non bloccasse lo sviluppo ma evitasse un campo aperto dove il più forte schiacciava il più debole e amen. Perché cercavano un simile obiettivo? Perché erano buoni? No. Perché erano scioccati. Scioccati dalla vita disumana dell'operaio europeo di fine Ottocento, scioccati dalle famiglie americane sprofondate da un giorno all'altro nella miseria da un crollo di Borsa imprevedibile. Avevano capito che un mondo senza rete, senza redistribuzione della ricchezza, senza tutela per i più deboli, era un mondo che produceva inaudite sofferenze e, oltretutto, ti si poteva rivoltare contro in un attimo: una specie di centrifuga che tritava destini e che, se non reggevi il ritmo necessario a rimanere in centro, ti espelleva velocemente verso orbite di miseria da cui non ti tiravi più fuori. Non erano buoni. Erano sciocchi.

Che ne è stato di quello choc? Dimenticato? Perché suona progressista predicare la liberalizzazione di tutto e tutti, quando in sostanza non è che la restaurazione di un mondo come quello che decenni fa abbiamo cercato di far fuori? Nessuno si accorge che i reportage dalle fabbriche del Terzo Mondo raccontano un orrore che è assurdamente identico a quello che Zola raccontava in *Germinal*, parlando di minatori che vivevano centotrenta anni fa? Come fanno le sinistre europee a schierarsi al fianco della globalizzazione senza riflettere sui risvolti crudeli che avrebbe per i deboli della terra? Possibile che basti a convincerle l'obiezione che con cinque dollari al giorno almeno si vive, mentre senza la fabbrica che fa palloni neanche si campa, laggiù? (Era lo stesso per i minatori di Zola: lo stesso paradosso logico: e centotrenta anni non sono bastati a trovare una soluzione più degna?) Possibile che ci vogliano due aerei lanciati ad azzerare le Twin Towers per ricordare che la legge del più forte non è una garanzia per nessuno, nemmeno per il più forte?

Possibile. Quel che accade è che gran parte dell'Occidente si è innamorato di un'idea (la globalizzazione) e regolarmente rimuove il ricordo del prezzo che dovrebbe pagare per averla. Si può anche capire. La globalizzazione, se reale, produce effettivamente ricchezza, modernità, e pace: obiettivamente ce n'è abbastanza per dimenticare quelli che, con squisito eufemismo, alcuni hanno definito, nei giorni di Genova, "degli inconvenienti". L'inconveniente è che quel mondo – più ricco, più moderno, quasi completamente in pace – sarebbe un campo aperto regolato dalla legge del più forte.

bonus tracks
RICCHEZZA

La domanda era: i no global sono pazzi o profeti? Io so che chiariscono i termini della decisione collettiva a cui siamo chiamati: e che ci mettono davanti al panorama vero del nostro tempo, così diverso dalla cartolina truccata che vendono negli empori del potere. So che hanno mantenuto, nella sbornia collettiva, la sobrietà e la passione necessarie per interrogarsi su cosa stava succedendo, e per denunciare le magagne di un'offerta speciale che sembrava senza difetti. Ma so anche che tutto questo non può bastare. Non si confuta la copertina dell'"Economist" limitandosi a puntare i piedi e a dire no. Quella copertina diventa falsa solo nel momento in cui, al progetto della globalizzazione, si contrappone una qualche altra prospettiva, il profilo certo di una strada alternativa. E lì, la forza dei no global si sfarina, le divisioni interne diventano visibili, la lucidità di pensiero si smarrisce. C'è una frase che, sentita mille volte, ha finito per sembrarmi il riassunto di quell'*impasse*: "Non siamo contro la globalizzazione, siamo contro i guasti che questa globalizzazione produce". È ovvio che sarebbe bello pensarla così. Ma siamo davvero convinti che le due cose siano scindibili? Non è un po' troppo comodo decidere, senza grandi prove, che sarebbe possibile una, per così dire, "globalizzazione pulita"? Prendiamo ciò che più ci attrae della globalizzazione: la circolazione delle idee, la moltiplicazione delle esperienze possibili, il superamento dei nazionalismi, l'adozione della pace come terreno obbligato della crescita collettiva. Tutte prospettive assolutamente desiderabili. Ma non è esageratamente ingenuo pensare che si possano ottenere senza concedere, in cambio, mano libera al denaro? Il che vuol dire accettare l'elevazione del profitto a valore guida, una competizione economica durissima, la conversione globale a un consumismo incontrollato, e una pericolosa omologazione culturale. Chi paga quell'allegro mondo che ci piace immaginare? C'è abbastanza denaro pulito, in giro, per potercelo comprare?

Prendete l'esempio della rete, grande e ipotetico strumento di libertà globale. Chi la paga? Noi? No. Pagare i servizi della rete è una cosa che non digeriamo facilmente: è un luogo nato libero e gratuito, ci vorrà molta fatica per convincerci che stavano scherzando. E se mai ci abitueremo a pagare, certo saremo disposti a pagare molto poco. Non saranno i nostri soldi che terranno in piedi la baracca. E allora? La pubblicità. Come tanti muri vuoti, migliaia di siti Internet aspettano che qualcuno arrivi ad appiccicarci sopra i suoi manifesti. Ma la realtà è che nessuno arriva, che non c'è abbastanza ricchezza, in circolo, per permettersi manifesti che per adesso pochi vedono, e anche male. Ci vorrebbe denaro disponibile, e tanto: ma solo un sistema lanciato al massimo dei giri potrebbe, forse, produrlo. E a quelle velocità, quale sistema riuscirebbe davvero a rimanere *pulito*? Quale motore può esprimere quella potenza senza rendere irrespirabile l'aria?

Credere in una globalizzazione senza guasti è oggi un esercizio che oscilla in modo indecifrabile tra la condivisibile visione utopistica e il superficiale ottimismo di comodo. Globalizzazione pulita. Cos'è, un gioco di parole, o una reale prospettiva realizzabile? Immaginare una globalizzazione che non ferisca a morte il pianeta: che sia umana, prodotta "dal basso", civile e morale. Cos'è, l'ennesima illusione o un vero progetto possibile?

Io, sulla faccenda, non ho grandi certezze da offrire. Posso giusto avanzare un sospetto: la globalizzazione buona, se c'è, è fatta con gli stessi mattoni della globalizzazione cattiva. Usati diversamente, ma i mattoni sono quelli. Ciò che i no global tendono a distruggere sono spesso gli stessi materiali che ci servirebbero per costruire una globalizzazione "pulita". Un moralismo un po' ottuso e una falsa intelligenza vittima dei luoghi comuni spingono troppo spesso a demonizzare ciò che invece andrebbe reinterpretato, e usato come materiale per sogni migliori. Provo a spiegarmi con due esempi. Due spettri della globalizzazione: lo strapotere dei brand, dei grandi loghi, e l'omologazione culturale. Due realtà su cui, non a torto, si è concentrata la denuncia dei no global. Vediamo.

3.

Incominciamo con i brand. Nella polemica contro il loro potere si fondono due critiche distinte: la prima è più circostanziata: le grandi marche fanno affari sfruttando il lavoro dei paesi poveri. Come sempre, è meglio partire da una domanda elementare: è vero? Devo sintetizzare, e così abbozzo una risposta: sì, è vero, anche se una certa propensione a non farsi troppe domande e a concludere sbrigativamente le indagini è rilevabile in tutti i tentativi di dare una descrizione dei fatti. La faccenda è probabilmente più complessa di quanto piaccia pensare, ma in definitiva non è errato affermare che molte multinazionali

bonus tracks
FORNITORI

producono enormi profitti *anche* in virtù del fatto che le loro merci sono prodotte, nei paesi più poveri, a costi bassissimi, in certo modo illogici, e probabilmente immorali.

Seconda critica: i grandi brand si sono impossessati dell'immaginario collettivo, lo gestiscono a loro piacimento e trasformano gli individui in consumatori lobotomizzati. Dato che nessuno sbarra loro la strada, la loro presenza è ormai talmente invasiva da farli individuare come il vero Potere, assai più efficace, capillare e onnipresente dei poteri politici, religiosi, o civili. Com'è ovvio, qui l'obiezione suona più irrazionale ed evanescente. Ma, va detto, non è campata per aria. Una bella ricostruzione di tutta la faccenda la potete trovare effettivamente nel fortunato libro di Naomi Klein, *No logo*: leggete le prime duecento pagine e vi farete un'idea. Abbastanza lucidamente vi si raccontano i fatti, puri e semplici. Non tutto sarà vero o ben compreso, ma se solo metà di quello che c'è lì dentro fosse reale, ce ne sarebbe già abbastanza per crederci.

Ora: di fronte a fatti del genere l'istinto, ovviamente, è quello di puntare i piedi e resistere. Muro contro muro, e poi si vedrà. Come sempre accade, per semplificare la lotta si irrigidiscono le definizioni delle parti in conflitto: il complesso mondo del brand viene riassunto in pochi tratti deprecabili, e demonizzato; e la gente viene riassunta come un unico indistinto animale aggredito, indifeso e destinato a soccombere. Ma, ancora una volta, conviene chiedersi: è davvero così? Possibile che la passione civile ci induca a uno sguardo così semplificatore da vedere un puro e semplice duello là dove, com'è evidente, accade un incrocio assai più complesso e difficile da comprendere? Possibile. Un esercizio da fare sarebbe quello di prendere quei fatti e guardarli da vicino, e provare a pensarli da capo. Senza pregiudizi, possibilmente. E con un certo coraggio, anche. Se ne vedrebbero delle belle. Ad esempio: si ricomincerebbe a vedere questo semplice assurdo, oggetto di una delle più spettacolari rimozioni del nostro tempo: noi pensiamo le cose peggiori dei grandi brand, eppure ce ne serviamo senza nessun problema. Curioso, no? Se non siete dei militanti no global, è probabile che abbiate delle scarpe Nike o Adidas, che fumiate Marlboro o Philip Morris, che portiate i vostri bambini a vedere i film della Walt Disney, che mangiate da McDonald's e che in questo momento abbiate addosso delle mutande Calvin Klein. Cerco di dirlo in modo più esatto: è probabile che alla gran parte di noi il mondo allestito sulla rete delle grandi marche non sembri affatto un luogo inumano, ma al contrario, un mondo vivo, in qualche modo ricco, e comunque interessante da abitare. È abbastanza normale che ci appaia come un mondo sostanzialmente libero, una specie di giostra su cui saliamo quando vogliamo, scendiamo quando vogliamo, saliamo pensando Che boiata, scendiamo pensando Torno domani. Dobbiamo concludere

bonus tracks che siamo ormai così lobotomizzati da
SCARPE non capire più niente? Sarebbe comodo. Ma temo che la verità sia diversa. La verità è che siamo solo blandamente lobotomizzati. Siamo lucidi, quando partecipiamo alla grande festa, lo facciamo con il cervello innestato, con una parte del nostro cervello che non possiamo sminuire, ma dobbiamo se mai capire.

La nostra intelligenza si muove così perché conosce quel terreno. E quando l'istinto al moralismo non la ferma, smette di barare con se stessa e si attiene ai fatti. I fatti sono che quando comprate una scarpa della Nike pagate centomila lire per pagare il nome e cinquantamila per comprare la scarpa. Siete scemi? No. State comprando un mondo, che ve ne frega di quanto valga, in cuoio, gomma e lavoro, quella scarpa? Comprate un mondo. Gente libera che corre, quasi sempre bella, tendenzialmente elastica come Michael Jordan, comunque molto moderna. Voi, in quel mondo. Con centocinquantamila lire. Se vi sembra un gesto infantile o idiota, allora pensate a questo. Andate a concerto. Beethoven. Musica di Beethoven. Avete pagato il biglietto. Cosa avete comprato? Un po' di musica? No, un mondo. Un brand. Beethoven è un brand, costruito nel tempo sulla figura di un genio sordo e ribelle, alimentato da due generazioni di musicisti romantici che ne hanno creato il mito. Da lui discende, direttamente, un brand ancora più potente: la musica classica. Un mondo. Voi non avete comprato un po' di musica: nel prezzo c'è anche l'ingresso a una certa visione del mondo, la fiducia in una qualche dimensione spirituale dell'umano, la magia di un provvisorio ritorno al passato, la bellezza e il silenzio della sala da concerto, la gente che vi sta attorno, l'iscrizione a un club piuttosto riservato e tendenzialmente selettivo. Avete affittato un mondo. Per abitarlo. Ve l'hanno costruito con infinita abilità, e voi lo comprate. L'hanno costruito perché erano buoni e intelligenti? Forse lo erano, ma certo l'hanno costruito per la stessa ragione che ha spinto la Nike a costruire il suo: soldi. Che mi risulti Beethoven scriveva per soldi, e da lui fino all'odierno discografico, e al pianista che sta suonando per voi, quel che avete comprato è stato costruito da gente che voleva tante cose, ma, tra le tante, una: i soldi.

Lo so che fa effetto dirlo, ma quello che ci fa senso, quando si tratta di scarpe o di hamburger, è un'esperienza che facciamo, senza nessuna resistenza, quando in ballo ci sono cose più nobili. Beethoven è un brand. Lo sono gli impressionisti francesi. Lo è Kafka. Lo è Shakespeare. Lo è anche Umberto Eco. E perfino "Repubblica", o "Topolino", o la Juventus. Sono mondi. Che significano assai più di quel che sono. Hanno le loro regole, e noi le accettiamo. Per dire: ci convinciamo che le patatine di McDonald's sono buone con la stessa illogica arrendevolezza con cui accettiamo che Beethoven non abbia mai scritto un pezzo brutto e inutile, che tutto Shakespeare sia geniale, che Topolino non abbia un papà e una mamma, e che "Repubblica" scriva sempre la verità. Fa parte del gioco. Ed è un gioco di cui noi abbiamo bisogno. Noi siamo portati a preferire tutto ciò che ci si offre con la forza organica di un mondo, non solo con la pura presenza di un oggetto, per quanto bello. Noi siamo grati a chi riesce ad allestire mondi. Sono assicurazioni contro il caos, sono organizzazioni salvifiche del reale. Non credo ci sia bisogno di annotare come il mondo allestito da Kafka sia più ric-

co, complesso e intelligente di quello studiato dai Mc-
Donald's. Lo sappiamo. Ma questo non ci deve im-
pedire di capire che il gioco è lo stesso,
che il tipo di esperienza è la stessa, che il
bonus tracks mondo di Kafka non è più reale di quel-
E INVECE lo di McDonald's, che la visita a una mo-
stra di impressionisti francesi muove il nostro cervello esattamente come un giro a
Niketown, e che, insomma, noi quella esperienza la
conosciamo, ne facciamo largo uso, la usiamo per tra-
mandare cose degnissime, e finalmente non la temia-
mo, non crediamo sia il demonio, se c'è il demonio,
è altrove.

Dice: sì, ma Beethoven non sfruttava indegna-
mente gli indonesiani, per fare le sue scarpe. Al che
si potrebbe obiettare, a voler essere cinicamente po-
lemici, che gran parte della musica classica nacque
perché pagata da un mondo aristocratico che quanto a sfruttamento non scherzava affatto. Ma il punto,
in realtà, è un altro. Se la Nike sfrutta i lavoratori va
fermata e basta. Ma far riverberare la nostra condanna, tout court, sul concetto di brand, demonizzando
il tipo di esperienza che suggerisce, è controprodu-
cente: rende inservibile una categoria, quella di brand,
che invece è storicamente insita nella nostra cultura,
e che probabilmente è inscindibile da qualsiasi idea
di globalizzazione, comprese quelle più umane e po-
sitive. Come costruire qualcosa se buttiamo via gli
strumenti per farlo?

Posso fare un altro esempio scomodo? L'omologazione culturale. È vero che la globalizzazione porta a un mondo monoculturale, coagulato sull'asse di una medietà tendente al basso? Probabilmente è vero. Se dovete fare un film che, assurdamente, deve piacere a tutto il pianeta (è esattamente quello che fanno a Hollywood) dovete procedere per stereotipi comprensibili a tutti, dovete essere chiari fino all'idiozia, dovete parlare un linguaggio universale, dovete sintetizzare e semplificare fino all'assurdo. Centinaia di film del genere contribuiranno a creare un preciso gusto nel pubblico, allineandolo sull'asse di una facile medietà: e con questo è avviato un circolo vizioso che, effettivamente, tende a riassumere le infinite differenze del pianeta *bonus tracks* in una sintetica ammucchiata al centro. BOCELLI Detto questo, adesso provate a pensare. Omero. *Iliade* e *Odissea*. Grandi enciclopedie in versi, in cui trovate l'indice completo del sapere dei Greci, dalle ricette di cucina alle regole della guerra. Capolavori altissimi, si dice. Lo specchio esatto di una grande civiltà. Giusto. Ma a che prezzo? Pensateci. Se dovete raccontare l'Uomo Greco, è chiaro che dovete innanzitutto produrlo, prendendo l'infinita varietà e ricchezza degli uomini greci e riassumendola, semplificandola, sintetizzandola in un unico modello tipi- *bonus tracks* co. Quel che ottenete alla fine è qualcosa PLATONE di molto efficace ma irrimediabilmente riduttivo. E tutti quei greci a cui Achille sembrava un pazzo sanguinario, e la geografia degli dèi una roba obsoleta, e il culto della guerra un'idiozia? Dove son finiti? Non esistevano? Eccome, se esistevano. Possibile che ci fosse un solo modo di costruire uno scudo, o di vestirsi, o di intendere la vita? No. La Grecia era piena di greci che in Omero non ci sono, come il mondo è pieno di gente che nei film di Hollywood non è prevista. Omero è la cultura dei vincenti, dei più, di quelli che avevano avuto successo. Rassegnatevi: Omero era gli americani. Questo non ci impedisce di considerare, a ragione, l'*Iliade* un capolavoro, e l'*Odissea* uno dei pilastri dell'immaginario occidentale. Non è strano?

Accusare la globalizzazione di contrarre la libertà collettiva, riducendo la complessità del mondo a pochi modelli riassuntivi, è un modo di partire da premesse vere per arrivare a conclusioni false. È vero che la globalizzazione tende a muoversi in quel modo, ma non è vero che la cosa, in sé e per sé, sia da demonizzare. La storia dell'Occidente è, in definitiva, la storia di analoghe compressioni della libertà collettiva: una delle più deleterie globalizzazioni, quella che costrinse l'arte dell'intero Occidente a essere solo arte sacra, tagliando via di netto la vita reale dai suoi soggetti, ha prodotto alla fine centinaia di capolavori, e secoli di grandezza artistica: il fatto (di per sé assurdo) che potessero solo dipingere Madonne, confuta la bellezza di quelle Madonne? Neanche per sogno. E la vertiginosa raffinatezza della filosofia scolastica, è in qualche modo ridimensionata dal fatto, di per sé assurdo, che quella intelligenza era confinata nella galera del pensiero teologico? Non credo. E la musica classica? Il linguaggio armonico di Mozart, confrontato con quello di un polifonista fiammingo del Cinquecento, suona come una semplificazione da asilo infantile: ma senza quella assurda contrazione delle possibilità espressive, non sarebbero mai riusciti a coniare un linguaggio abbastanza semplice da parlare a tutti e abbastanza compatto da sostenere il peso di quello che avevano in mente: in meno di cent'anni, su quella roba da bambini, riuscirono a posare la storia di Don Giovanni e l'*Inno alla gioia*, senza che si spaccasse tutto. Avevano inventato la musica classica. Ma, quando iniziarono, sarebbe stato un nulla considerarli dei banditi che appiattivano il gusto del pubblico e distruggevano una tradizione vecchia di secoli. E già che ci siamo: per quanto piaccia pensare *La Traviata* come un'opera d'arte, forse è il caso di ricordare che, quando è nata, *La Traviata* era, in tutto e per tutto, un prodotto come potrebbe essere oggi un film hollywoodiano di buona qualità: rispettava le regole di un certo sistema industriale, era fatta per piacere a una fascia di pubblico enorme (relativamente al pubblico di allora), parlava un linguaggio semplice fino al desolante, sintetizzava l'Umanità in pochi modelli piuttosto superficiali (obiettivamente, non è che Alfredo, quanto a sfumature psicologiche, stia meglio di Rambo), e musicalmente non aveva paura di sfoggiare passaggi che, per orecchie abituate a un Beethoven, dovevano suonare come volgarità pura. Sulla carta era esattamente quello che oggi possiamo temere come prodotto medio di un'industria culturale globalizzata: però riusciva a essere graffito esatto, elementare, universale, di tutto un mondo, e lo faceva in un modo che emozionava la gente, e la faceva godere. In questo senso, era talmente ben costruita che ancor oggi, a distanza di un secolo e mezzo, non ha smesso di funzionare. Per questo la consideriamo un'opera d'arte, e, piuttosto assurdamente, la contrapponiamo, come reperto di cultura, alle infinite Traviate di oggi, che non sono di Verdi, che non sono melodramma, che magari sono cinema, o televisione, o fumetto, e che, c'è da scommetterci, fra cent'anni saranno battezzate come opere d'arte e tramandate nei musei dell'anima.

Lo so che tutto ciò è piuttosto fastidioso. Non è bello pensare che la Coca-Cola e Monet c'entrino qualcosa l'una con l'altro. O che Mozart abbia a che vedere con Harry Potter. Non è bello ma, credetemi, è utile. È un modo laico di vedere le cose. Aiuta. Nel nostro contesto, aiuta a capire una cosa molto importante: i grandi brand sono una minaccia, e l'omologazione culturale è un rischio reale: ma il mondo che dovrebbe soffrirne non è così monolitico, indifeso, irrigidito come si pensa. Il mondo conosce quelle minacce, le conosce da sempre, si può dire che le tramanda inscritte nel proprio DNA, si può dire addirittura che ne abbia quasi bisogno per crescere, per generare le proprie metamorfosi. E l'uomo intrattiene

con quei possibili disastri un rapporto strano, inde-
ciso tra la resistenza pura e semplice e l'istinto a ca-
valcarne la forza per costruirsi scenari migliori. Semplificare tutto questo, descrivendo uno scontro senza via d'uscita, è inutile e dannoso. Il rapporto tra la
Nike e la gente non è un duello che la gente sta per-
dendo senza combattere: è qualcosa di assai complesso
che siamo ancora lontani dal capire. La schizofrenia
che ci permette di essere visceralmente legati a Hollywood pur disprezzandola non è una prova del nostro rimbecillimento, ma la spia di un rapporto che
non è per nulla riassumibile in un duello in cui uno
dei due perderà. Le cose sono più complicate di quanto sembrino. La rassicurante prospettiva di uno scontro frontale, buoni contro cattivi, è un'astrazione teo-
rica, non c'entra col mondo reale, e serve solo a mo-
tivare i soldatini di un esercito obsoleto.

Vorrei essere chiaro: non sono
qui a dire che è stupido preoc-
bonus tracks cuparsi, e che la Nike o Hol-
REGGIO CALABRIA lywood sono falsi problemi. Non
è questo. Sto cercando di sugge-
rire che sono problemi veri di cui
però sappiamo ancora poco, perché abbiamo studiato molto le scarpe e i film ma non abbiamo studiato a sufficienza noi stessi: conosciamo tutti i se-
greti della strategia delle multinazionali, ma non abbiamo un'idea chiara dell'uomo che sta di fronte a
loro. È probabile che tendiamo a sottovalutarlo. O a
capirlo in ritardo. In questo senso, la nostra reazio-

ne all'aggressività dei brand o al rischio dell'omologazione culturale sono spie del nostro atteggiamento più generale verso la globalizzazione: ne identifichiamo lucidamente i rischi, ma non siamo veramente in grado di valutarne l'impatto sul tessuto sociale: e questo perché quel tessuto sociale ci è chiaro fino a un certo punto. Ci manca la capacità di immaginare, realmente, quale sarà lo scenario in cui quelle bombe scoppieranno. Prevediamo il peggio, ma è una profezia che suona un po' automatica, falsamente intelligente. Sarebbe stato analogamente logico, duecento anni fa, prevedere che, rimanendo fermo il tasso di crescita demografica ed economica, nel giro di duecento anni saremmo stati sepolti dalla merda di cavallo. Logico, ma cretino. Secca dirlo, ma il rischio di fare analoghe previsioni è reale.

Tutto ciò non sposta di un millimetro la violenza, la sofferenza e l'ingiustizia che la globalizzazione, insieme a un bel mucchio di quattrini, ha già immesso nel sistema sanguigno del mondo. Né quelle che promette di riversare nei prossimi anni. Però può aiutare a riconoscere una strada possibile per cercare di tradurre quello choc in mondo vivibile. Posso sbagliarmi, ma il muro contro muro, oggi, serve a poco. Ai tempi della Rivoluzione industriale, distruggere le macchine non portava lontano: il problema era piuttosto immaginare un nuovo e civile mondo del lavoro, e cercare di realizzarlo. Oggi, la situazione non sembra molto diversa. È intuendo un mondo nuovo che si può reggere l'impatto con la globalizzazione: limitarsi a difendere quello vecchio a cosa mai ci può portare?

Per questo mi viene da pensare che l'idea di una globalizzazione "pulita" debba passare, necessariamente, attraverso una sorta di rivoluzione culturale: che essa abbia bisogno che il mondo accetti di pensare il futuro, senza pregiudizi, e sia disposto a smettere di difendere un presente che già non esiste più. Non credo che, se c'è una globalizzazione "buona", la possano realizzare cervelli che distruggono i McDonald's o vedono solo film francesi. Ho in mente qualcosa di diverso. Ho in mente gente convinta che la globalizzazione, così come ce la stanno vendendo, non è un sogno sbagliato: è un sogno *piccolo*. Arrestato. Bloccato. È un sogno in grigio, perché viene direttamente dall'immaginario di manager e banchieri. In un certo senso si tratterebbe di iniziare a sognare quel sogno al posto loro: e realizzarlo. È una questione di fantasia, di tenacia e di rabbia. È forse il compito che ci spetta.

BONUS TRACKS

DEFINIZIONI

Un'unica definizione della globalizzazione, buona per tutti, non esiste per la semplice ragione che si hanno molte idee diverse su cosa sia, effettivamente, la globalizzazione. Non è una questione di impotenza linguistica: è che proprio intendiamo cose diverse. Non è che tutti guardiamo lo stesso cavallo ma poi lo chiamiamo con nomi diversi: è che ognuno guarda un cavallo diverso ma poi tutti chiamiamo con lo stesso nome quello che vediamo. Ad esempio: c'è chi pensa che la globalizzazione accade ogni giorno e c'è chi è sicuro che non esiste, è solo uno slogan pubblicitario usato per vendere un nuovo ordine mondiale. Non sono differenze da poco. Eppure tutti usano la stessa parola: ma evidentemente per indicare cose diverse. È ovvio che poi, quando si tratta di giudicare e di schierarsi, pro o contro, sia un caos babelico: pro o contro cosa?

A me piacerebbe anche solo capire, ad esempio:

la globalizzazione è un fenomeno come la Rivoluzione industriale o come l'Illuminismo? Nel senso: è una rivoluzione economica destinata a cambiare il cervello dell'uomo, o una rivoluzione del cervello dell'uomo destinata a cambiare il mondo economico?

(Forse la difficoltà a trovare una definizione unanime della globalizzazione è figlia anche di un'epocale crisi del fenomeno stesso della definizione. Mi chiedo se non sia scaduto il tempo in cui era possibile dare definizioni.

Una cosa ad esempio che mi colpisce è la seguente: le cose non sono più quel che sono ma quello che generano. Mi spiego. Se uno vi chiede la definizione del caldo voi potete dire: 1) È uno stato di temperatura molto alto. 2) È un fenomeno che provoca il sudore e che fa sciogliere i gelati e, alla lunga, anche le calotte polari. In genere, oggi, si preferisce la seconda definizione alla prima: l'impressione è che la prima sia completamente inutile mentre la seconda ci dice ciò che ci serve sapere. Questo atteggiamento – evidentemente dettato dal modo di pensare dei media – finisce per applicarsi un po' a tutto: come fenomeno collettivo, il sapere ha cessato di essere la scienza dei fondamenti, ed è divenuto la scienza degli effetti. Prendete gli aerei spediti contro le Twin Towers. Quello che sappiamo di quegli aerei è abbastanza poco. Non sappiamo e non sapremo mai un sacco di particolari. Nemmeno sappiamo ancora, con certezza, chi li ha mandati a distruggere il cuore di Manhattan, e perché. Non sono bazzecole: sono tutto: sono quel che quegli aerei erano. È la loro *definizione*. In altri tempi si sarebbe dovuto concludere che noi non sappiamo cosa fossero quegli aerei. Ma dato che, in compenso, conosciamo un sacco di cose *sugli effetti* di quegli aerei, l'impressione diffusa è che sulla faccenda la sappiamo lunga. La definizione di quegli aerei è divenuta la lista delle cose che sappiamo sugli effetti che hanno generato: dai cali della Borsa, ai bombardamenti, alla crisi delle linee aeree, alla sconfitta del regime talebano, all'incremento delle vendite di rifugi antiatomici eccetera. Ne sappiamo talmente tanto, di quelle cose, che neanche più ci ricordiamo la nostra sostanziale ignoranza su quel che ha dato inizio a tutto: non ci infastidisce pensare che tutto il nostro sapere è poggiato su una bolla di ignoranza. Secondo una logica che deve suonare paradossale, non sapere chi è l'assassino ci spaventa poco: l'importante è sapere tutto del morto.

Il dibattito sulla globalizzazione, quando è uscito dalle università per defluire nei media, è stato prontamente allineato a un simile assurdo metodologico. Si discute moltissimo sugli effetti della globalizzazione e pochissimo su cosa sia. Quasi tutti sono in grado di schierarsi pro o contro la globalizzazione: ma pochissimi sanno cos'è. Fenomeno in sé assurdo ma da poco diventato logico, da quando è decaduto il gusto di dare definizioni. Non c'è una definizione della globalizzazione perché non esistono più le definizioni.)

ESEMPI

Tra gli esempi rimasti fuori da questa miniselezione, ce n'era uno niente male. L'aeroporto di Berlino. La dico come me l'hanno detta: all'aeroporto di Berlino, dal tramonto all'alba, il traffico aereo è diretto dalla California: così nessuno lavora di notte, e non ci sono straordinari da pagare. Ho controllato: è vero. In effetti la sublime astuzia di qualche manager è stata in grado di concepire un'astrazione di questo tipo. Come esempio di globalizzazione è affascinante, perché mirabilmente esatto: allude a una tecnologia in grado di azzerare la variabile dello spazio, in modo da dominare meglio la variabile del tempo. Un pianeta compatto e unitario sparato come una pallottola infrangibile nell'incognita del futuro.

(Resta da chiarire come mai le altre centinaia di aeroporti sparsi per il mondo NON abbiano adottato una soluzione del genere.)

CANDIDE

Chiedersi se le cose sono vere prima di chiedersi cosa ne pensiamo è un esercizio che suona perfino ingenuo, tanto è fuori moda. La verità dei fatti è stata ormai fatta regredire alla funzione che la polpetta di carne svolge nel burger americano: ne sarebbe il cuore e il senso, ma ne è diventato poco più che un insignificante alibi: quasi completamente priva di gusto, giustifica però tutto il resto (salse, topping e, per derivazione, il rito stesso di quel modo di mangiare, fanciullesco e con le mani). Nessuno che si lamenti mai del fatto che la carne non è buona. D'altronde nessuno si aspetta che sia buona. Nessuno si aspetta che la verità dei fatti sia qualcosa di più di ciò che suona verosimile, o anche solo ben detto. Per rimanere alla globalizzazione: provate a pensare a quanti articoli avete letto che discutevano, ad esempio, delle fabbriche Nike in cui i bambini cuciono palloni o fanno scarpe. Molti, vero? E adesso provate a pensare quanti articoli avete letto scritti da qualcuno che effettivamente era stato in quelle fabbriche e vi raccontava cosa aveva visto (non quello che gli avevano detto, ma quello che aveva visto). Pochi, vero? Magari neanche uno. Non voglio dire che la cosa sia falsa (è tragicamente vera), voglio dire che la nostra preoccupazione di verificare se è vera, e come, e quando, e perché, è assurdamente minima. Digeriamo di tutto, in un'orgia di pressappochismo che non sconcerta più nessuno (ad esempio, la stessa espressione "fabbriche Nike" è scorretta: la Nike non possiede nessuno stabilimento, e in ciò, propriamente, essa rappresenta un rivoluzionario modello di business oggi molto imitato e molto deprecato). Il virus colpisce anche i migliori. Sentite questo attacco di un articolo di Kapuściński, uscito su "Repubblica" nel mese di novembre: "Nel decennio degli anni sessanta, confrontando il livello di vita delle persone più abbienti con

quello dei più poveri, risultava che le persone più po-
vere vivevano trenta volte peggio dei ricchi. Alla fine
degli anni novanta, i più poveri vivevano ottantadue
volte peggio dei ricchi. Le differenze tra ricchi e poveri si approfondiscono senza sosta". È il tipico pas-
saggio che resta in mente e serve poi come base per
mille riflessioni e discussioni e liti. È il tipico passag-
gio che si è portati a "prendere per vero", senza la
minima resistenza. Dice quello che ci aspettiamo di
sentire, lo dice con dei numeri (tranquillizzante) e lo
dice con l'autenticazione di una firma di prestigio
(Kapuściński). In realtà, riletto con attenzione, è tutto da capire. Cosa vuol dire "vivere peggio"? È una
questione di soldi o anche di ambiente, servizi, mo-
tivazioni, salute, attesa di vita, pace, felicità? Come
han fatto a misurarlo? E chi sono i "più abbienti"?
Bill Gates, cioè un-uomo-uno? Nel caso, che significato ha stabilire che il divario tra lui e un messicano
disoccupato è tre volte superiore di quanto, trent'anni fa, non fosse il divario tra lo sceicco più ricco e il
papà di quel messicano disoccupato? Vuol dire qualcosa? E i "meno abbienti" chi sono? Stiamo parlando di africani (nel qual caso quella statistica dimo-
strerebbe il decollo dell'Occidente rispetto al Terzo
Mondo) o dei poveri dell'Occidente (nel qual caso
descriverebbe tutta un'altra cosa). E quell'"82 volte
peggio" non suona un po' strano? Non 81 né 83: proprio 82. Non è un po' ridicolo? Compatibilmente con
il fatto che sta rendendo conto di una tragedia, non
è un po' ridicolo?

Insomma, era solo un esempio. Ma ne potrei fare a centinaia. Ho in mente questo bellissimo paragrafo di un autorevole libro sulla globalizzazione. Sentite qui: "Si è spesso argomentato che nei paesi più poveri gli investimenti stranieri avrebbero favorito un aumento dei salari, ma un'indagine del 'Boston Globe' sul comportamento delle grandi imprese americane all'estero ha dimostrato che 'lungi dall'elevare i livelli di vita, tali imprese sembrano per lo più adottare delle paghe che non superano il minimo salariale già esistente localmente'". Un'indagine del "Boston Globe" (con tutto il rispetto, non è propriamente l'ONU; e poi di cosa stiamo parlando, un'inchiesta, un giro d'opinioni, e chi l'ha fatta, chi era il giornalista, era un giornalista?) ha dimostrato (ha dimostrato?, espressione un po' fortina, no?) che le grandi imprese americane (grandi quanto? Stiamo parlando di due, tre aziende, o di cento?) *sembrano* per lo più adottare (alè, hanno dimostrato che sembrano, ma cosa vuol dire?, o hanno dimostrato che *sono* o non hanno dimostrato proprio niente, possono giusto ventilare delle ipotesi; per tacere del "per lo più", cosa vuol dire "per lo più"?, sono faccende importanti, non puoi dire che "per lo più" le grandi aziende americane [?] sfruttano la gente, non lo puoi dire).

Va be'. Volevo solo far notare come sia diventata inusuale l'abitudine a chiedersi: ma è vero?

Senza questa desuetudine, sarebbe mai passata la parola: globalizzazione?

COCA-COLA

Due cose curiose sull'impero della Coca-Cola. Primo. La Fanta l'hanno inventata in Italia, gli italiani. La bevanda, il nome, tutto. Poi è diventata un prodotto mondiale. Secondo. La Coca-Cola in Giappone fa affari d'oro con un prodotto che praticamente bevono solo lì, una specie di caffè freddo aromatizzato a qualche cosa.

Giusto per dire che uno si immagina lo strapotere di un'azienda che impone un gusto e un prodotto a tutto il pianeta, facendo diventare tutti americani, ma poi le cose sono più complicate. Non necessariamente meno preoccupanti, ma sicuramente più complicate.

STATISTICHE

Mi ha fatto notare un lettore che quella statistica sull'India non andrebbe presa così, ciecamente, ma interpretata. Nel senso che, lui dice, gran parte degli indiani non hanno la possibilità di bere Coca-Cola: se si considerano solo quelli che potrebbero farlo, la percentuale di quelli che lo fanno sarebbe molto più alta. E se ne dedurrebbe una presenza della Coca-Cola tutt'altro che marginale. A me sembra un po' come dire che il baseball è uno sport popolare in Italia perché l'80 per cento di quelli che lo sanno

giocare, lo giocano regolarmente. Insomma, sapere
che la Coca-Cola è molto diffusa in un'élite di indiani
più ricchi e più informati non mi sembra un dato
molto significativo se poi quell'élite rappresenta una
parte minima del paese. E anche se fosse la parte con
più potere (tutto da verificare), non mi sembra che
cambierebbe molto: evidentemente non ne ha abbastanza per imporre o rendere disponibili i propri sta-
tus symbol.

AUTOMOBILI

Avevo in mente questo bell'esempio: quando un
cittadino statunitense acquista per 10.000 dollari una
Pontiac Le Mans della General Motors, 3000 dollari
vanno in Corea del Sud per le lavorazioni di routine
e per operazioni di assemblaggio, 1750 vanno in Giappone per componenti ad alta tecnologia, 750 in Ger-
mania per il design e per il progetto delle parti mec-
caniche, 4000 a Taiwan, Singapore e Giappone per i
piccoli componenti, 250 nel Regno Unito per pubblicità e servizi commerciali e altri 50 circa in Irlan-
da e a Barbados per l'esecuzione dei calcoli al computer. È un conto fatto una decina d'anni fa da Robert B. Reich: lo trovate citato in *Contro il capitale
globale* di Jeremy Brecher e Tim Costello (edizioni
Feltrinelli: CONFLITTO D'INTERESSI!!!!). Avevo in
mente questo esempio e mi sono chiesto se si poteva

provare a fare qualcosa del genere con una FIAT. La risposta è no. Nel senso che risalire alla fonte come ha fatto Reich è un lavoro enorme e quindi bisogna fidarsi di quello che assicura la FIAT. E quello che dice la FIAT è che le sue macchine sono fatte in Italia. Non è che siano chiarissimi, hanno molta paura di ammettere qualsiasi debolezza globalista, e su certe cose glissano. Ma alla fine il concetto è chiaro e sembra fondato: gli stabilimenti esteri costruiscono macchine per il mercato estero. Quelle che si comprano in Italia sono fatte in Italia. Anche il fanale? Sì. Anche il circuito elettronico? Mah, sì, sostanzialmente sì, magari c'è qualcosa che facciamo in Europa... Qualcosa cosa? No, niente, non sono cose sostanziali. E il design? Tutto in Italia. E la pubblicità? Italia, Italia. E i calcoli al computer? Guardi, le macchine che si vendono in Italia le facciamo in Italia. Più o meno il dialogo è stato quello. Ne sono uscito con l'idea che magari non proprio tutta la mia FIAT è fatta in Italia, ma comunque da lì all'idea di una produzione globalizzata ce ne corre.

VONNEGUT

La bomba atomica su Hiroshima fu sganciata il 6 agosto del 1945. Tre giorni dopo gli americani bombardarono Nagasaki. Su quella faccenda, Kurt Vonnegut, uno dei pochi veri pacifisti ancora in circolazione, scrisse una volta qualche riga di pura ferocia. Sentite qui: "Nel secondo capitolo di questo mio splendido libro, accenno alla commemorazione nella cappella della University of Chicago del quinto anniversario del bombardamento atomico di Hiroshima. A quell'epoca dissi che dovevo rispettare l'opinione del mio amico William Styron che la bomba su Hiroshima gli aveva salvato la vita. Quando quell'ordigno era stato sganciato, Styron era un marine degli Stati Uniti e stava addestrandosi per l'invasione del Giappone. Dovetti aggiungere, comunque, che conoscevo una parola che mostrava come il nostro governo democratico fosse capace di commettere omicidi osceni, allegramente atroci e razzisti, di persone inermi, uomini, donne, bambini – omicidi completamente privi persino di utilità militare. Pronunciai la parola. Era una parola straniera: Nagasaki".

Lo "splendido libro" a cui Vonnegut allude si intitola *Cronosisma* ed è, probabilmente, un capolavoro. Ha uno dei migliori incipit che io conosca:

"Nel 1952 Ernest Hemingway pubblicò su 'Life' un racconto lungo intitolato *Il vecchio e il mare*. Parlava di un pescatore cubano che non aveva pescato niente per ottantaquattro giorni di fila. Il cubano pescò un marlin enorme. Lo uccise e lo legò a una sponda della barchetta. Prima che riuscisse a tornare a riva, tuttavia, gli squali divorarono tutta la carne dallo scheletro. Quando quel racconto fu pubblicato abitavo al Barnstable Village a Cape Cod. Chiesi a un mio vicino pescatore cosa ne pensasse. Rispose che, secondo lui, il protagonista era un cretino. Avrebbe dovuto tagliare via i pezzi migliori e sistemarli sul fondo della barca, lasciando agli squali il resto del carcame".

Come dicevo, Vonnegut è uno dei pochi pacifisti veri ancora in circolazione. Nell'esercizio (oggi desueto) di ridicolizzare i militari non ha rivali. In *Cronosisma* c'è un passo dedicato alle tute mimetiche degli americani. Scritto nel '97, ma sempre attuale.

"Trout sostenne che, a differenza di altre guerre, la nostra sarebbe sopravvissuta per sempre nello show business grazie alle divise dei nazisti. Stroncò le tute mimetiche indossate oggigiorno dai nostri generali davanti alle telecamere, quando descrivono come abbiamo spremuto la merda dal culo di qualche nazione del Terzo Mondo per ragioni di petrolio. 'Non riesco a immaginare,' disse, 'nessuna parte di mondo dove quei ridicoli pigiami possano rendere un soldato meno visibile. Evidentemente stiamo preparandoci,' aggiunse, 'a combattere la Terza Guerra Mondiale in mezzo a un'immane insalata russa.'"

NEW ECONOMY

Nel modo più evidente tutto ciò si è visto all'opera nell'avventura della new economy. Grandi capitali ma anche piccoli risparmi sono finiti a scommettere su un futuro che era poco più che un'ipotesi: poiché però si trattava di un elevato numero di soggetti, quel futuro ha incominciato a essere un progetto spinto da ingenti risorse umane ed economiche: da pura ipotesi è iniziato a diventare scenario verosimile. A quel punto è divenuto interessante anche per una fascia di investitori più prudenti. Altro denaro è affluito, e la parte di Occidente ricco impegnato a scommettere su quel futuro si è allargata ulteriormente. E lì, da scenario verosimile è diventato scenario quasi obbligato.

(Quel che è successo, però, è che, curiosamente, la gente non si è allineata ai sogni di quegli investitori. Probabilmente le sarebbe anche piaciuta, come ipotesi, ma deve aver capito che la tecnologia, o le regole, o chissà che, non erano ancora all'altezza di un sogno simile: è difficile credere veramente in un mondo che vive on line quando scopri che non sono nemmeno ancora riusciti a mettersi d'accordo sul tipo di spina elettrica da usare. Quel che si è capito è che i tempi dell'operazione erano destinati ad allungarsi indefinitamente. Ma molti degli investitori non avevano tutto quel tempo da aspettare. È iniziata la gran fuga e adesso che si è arrestata si sta lì a contare cos'è rimasto per capire cosa mai succederà.)

TWIN TOWERS

Già. L'11 settembre. Con una certa logica in molti hanno detto che lì la globalizzazione è morta. E indubbiamente un mondo in cui è tornata la guerra, in cui i mercati finanziari sono alle corde e la gente ha paura a salire su un aereo non è lo scenario migliore per immaginare felici prospettive globaliste. Cioè, a dirla tutta: è la negazione di qualsiasi progetto del genere. Per cui la globalizzazione è stata per così dire ibernata, in attesa di tempi migliori. È scivolata via dai media e dai dibattiti. Se esiste ancora, lo fa piuttosto silenziosamente, curandosi le ferite.

Detto questo, ci sono cose, nel dopo 11 settembre, che fanno pensare. Ad esempio: politicamente non si era mai visto un mondo tanto globalizzato: schierato quasi unanimemente al fianco degli Stati Uniti. C'è stata mai un'altra guerra in cui si sia formata un'alleanza così vasta? Può darsi che la gente abbia paura di salire sugli aerei, ma simultaneamente sta facendo le prove di un'appartenenza a un enorme paese globale tenuto insieme da un unico nemico e dalla difesa dei valori fondamentali della convivenza civile. Mica male come training per la globalizzazione. I guasti tecnici si riparano, ma la creazione di una coscienza collettiva resta. Non è assurdo pensare che, a lungo termine, l'11 settembre si riveli un collante preziosissimo piuttosto che una ferita disgregante. In quei giorni la gente ha imparato cosa significa essere cittadini del mondo: senza quel sentimento particolare, nessuna globalizzazione sarebbe realmente possibile. Sentimenti del genere si formano nella coscienza collettiva con una lentezza da mutazione genetica: l'11 settembre ha ottenuto in pochi giorni quello che anni di paziente propaganda non avrebbero sperato di ottenere. Ci son voluti decenni per farci sentire, almeno un po', europei. In pochi giorni eravamo già tutti americani.

E poi la questione della guerra. Pensate a questo: non c'è globalizzazione senza pace. Poi pensate a questo: qual è la più grande industria del mondo, quella che fa girare la massa più grande di denaro? L'industria delle armi. E adesso pensate: poteva passare liscio un progetto di arricchimento collettivo che facesse fuori proprio i più ricchi? Difficile. E infatti una delle difficoltà, non dette, della globalizzazione è fare i conti con quel problema. Ora: gli sviluppi dell'11 settembre hanno messo a fuoco un modello di soluzione possibile. Fine delle guerre tradizionali (la globalizzazione non le consente) e inizio di una nuova guerra, interna, cronica, inevitabile: quella contro il terrorismo. In assenza di confini con eventuali nemici, il gran golem scopre una specie di confine interno, una prima linea che gli scorre dentro e che è ovunque, invisibile ma ferocemente reale. È uno scenario fantascientifico, ma sta diventando paurosamente d'attualità. La guerra cambia faccia (e infatti si fa fatica a trovarle un nome: tutto quello che si è trovato è il penoso "la nuova guerra"), ma simultaneamente entra nel tessuto del vivere civile con una invadenza impensabile. Non sono passati che pochi mesi e già le notizie dal fronte sono diventate una costante del nostro paesaggio, al fianco del meteo e della cronaca nera. È un modello di guerra in tempo di pace. È il modello di un'esistenza possibile: un mondo che vive in pace senza per questo rinunciare alla guerra.

Non dico, ovviamente, che questo era l'obiettivo dell'11 settembre. Dico che l'11 settembre ha originato questo tipo di risposta, e che questa risposta disegna uno scenario che suggerisce la possibilità di una convivenza tra pace e guerra, e che proprio questo scenario sarebbe a ben pensarci il terreno ideale per una globalizzazione. Tutto ciò per chiedere: ma l'11 settembre la globalizzazione è morta o ha iniziato a fare sul serio?

RICCHEZZA?

Che la globalizzazione produca modernità e pace è una cosa su cui per lo più tutti convengono. Che produca ricchezza, questo è già meno sicuro. Potrebbe essere la favola del secolo. Potrebbe essere vero. È un dibattito da economisti, per cui è difficile orientarsi. Posso giusto registrare quella che sembra l'opinione più equilibrata: la globalizzazione in effetti produce ricchezza, ma tende a distribuirla male: cioè il denaro nuovo finisce in gran parte nelle tasche dei ricchi, in minima parte in quelle dei poveri. Prima di trarne una morale, bisogna forse annotare una cosa: per i poveri del pianeta anche un piccolissimo incremento del reddito può significare un'enormità. Per milioni di persone un dollaro in più al giorno vuol dire passare dalla morte alla sopravvivenza. Questo rende agghiacciante la responsabilità oggettiva dei ricchi, ma anche invita a non sottovalutare gli effetti benefici che uno sviluppo seppur sghembo, disequilibrato, iniquo può avere sulla vivibilità del pianeta.

FORNITORI

C'è la scritta LEVI'S sulle fabbriche che producono i jeans in Indonesia? No. Sono fabbriche della LEVI'S? No. Per usare le parole di Naomi Klein (il mitico *No logo*), quelli che negli USA erano posti di lavoro "vengono rimpiazzati da qualcosa di totalmente diverso, 'ordini' da commissionare a un fornitore, che li può girare a sua volta ad almeno dieci sub-fornitori, i quali possono trasferire una parte di questi contratti a una rete di lavoratori a domicilio che portano a termine il lavoro nelle cantine e nei soggiorni di casa". Alla fine di questa catena è logico immaginare qualcuno che lavora davvero per una cifra scandalosa, in condizioni scandalose, e con un'assenza di diritti scandalosa. Ma è anche vero che ogni anello della catena prende il suo tornaconto, e che la cifra iniziale viene spolpata, per strada, a poco a poco. In altri termini, non è più possibile dire tout court che la LEVI'S sfrutta dei lavoratori: sarebbe corretto dire, piuttosto, che una certa politica della LEVI'S contribuisce ad allestire un sistema di produzione in cui le possibilità di arrivare allo sfruttamento del lavoro di qualcuno sono di nuovo reali, dopo che le si era neutralizzate nel mondo occidentale con la moderna legislazione sul lavoro.

SCARPE

Per capirci meglio, potete provare a fare un giochetto. Dovete avere un po' di pazienza e ascoltare una piccola storia.

Quando io ero piccolo (si parla della fine degli anni sessanta) c'era un giorno in cui si andava a comprare le *scarpe da ginnastica*. Il negozio in cui si andava era lo stesso negozio in cui si compravano le galosce o le scarpe della domenica, solo che in un angolo aveva il minuscolo reparto delle *scarpe da ginnastica*. Di solito era un po' defilato, comunque lontano dalle vetrine. Era molto piccolo. Stava al resto del negozio come l'ora di ricreazione a una giornata di scuola dai preti. A quei tempi, dovendo comprare una *scarpa da ginnastica*, la scelta era praticamente circoscritta fra: Superga beige e Superga blu. Cioè: nella mia famiglia si usava così. In realtà delle altre possibilità, almeno teoricamente, c'erano. I più fighi e/o ricchi compravano le mitiche Adidas, tre strisce sul lato, suola sagomata, rinforzi davanti e dietro. Ne esistevano tre o quattro tipi: mi ricordo che io andavo matto per una che si chiamava Rom. Adidas Rom. O era Room? Non so. Comunque ci andavo matto. Ancora più elitarie erano le Puma, che avevano in pochissimi, e che erano guardate con grande rispetto ma anche con una punta di diffidenza (erano considerate le rivali delle Adidas, e questo non deponeva a loro favore). Infine c'erano le All Star, ma davvero rarissime: attirava il fatto che ci fossero anche rosse, ma sostanzialmente erano considerate da grulli, era difficilissimo trovarle, e praticamente le avevano solo quelli che giocavano a basket. Al di sotto di questo olimpo, c'era il mare indistinto delle patacche. Erano scarpe dai nomi spiritosi tipo Tall Star, Luma, Addas. Ci provavano. Senza pudore, sfoggiavano le mitiche strisce sul lato: solo che erano quattro, o due. Costavano poco, e le vendevano al mercato. Comprare le scarpe al mercato era strano perché ti ritrovavi in calze in mezzo alla strada.

Insomma, dovendo comprare le scarpe da ginnastica, a quei tempi la scelta, a voler essere generosi, era limitata a sette, otto modelli. Va anche ricordato che le scarpe da ginnastica si mettevano quando si andava a far ginnastica, e in nessun'altra occasione (perché rovinarle?). In casa c'erano le pantofole, e per camminare c'era altra roba. Non ricordo di aver mai visto mio padre con le scarpe da ginnastica (e giuro che era un tipo abbastanza sportivo: a me sembrava molto simile a Kennedy, a parte Dallas, e Marilyn).

Non ricordo nemmeno di aver mai visto un mio idolo dello sport sfoggiare le stesse scarpe che avevo io nei piedi: erano due universi separati, e neanche mi immaginavo potessero comunicare. Aggiungo un particolare agghiacciante. Quando compravi le *scarpe da ginnastica*, la signora del negozio *ti regalava una pallina di gomma*. La cosa agghiacciante è che quello era un evento, era una cosa che ricordavi per settimane, era una cosa che raccontavi. Era quello un mondo in cui se il negoziante ti regalava una pallina di gomma, tu lo raccontavi in giro. E un'altra cosa. Agghiacciante anche quella. Mi ricordo che dato che tutti avevano le Superga, e insomma in palestra giravamo tutti con le stesse scarpe che sembravamo dei cinesi, a parte i due o tre privilegiati con le Adidas o le Puma, ma erano pochi, gli altri erano tutti uguali – insomma mi ricordo che alcuni di noi, quelli più originali, un po' ribelli, quelli un po' più svegli, non la digerivano 'sta cosa che fossimo tutti uguali, e allora, per cercare di essere diversi, per sconfiggere la monocultura della scarpa, decidevano di ribellarsi, e quello che facevano precisamente era: disegnare qualcosa con una biro sulle loro Superga. Magari una piccola scritta. O cuoricini, fiori, cose così. Era quello un mondo in cui, per inventarti le tue scarpe, quello che potevi fare era disegnartele con la biro.

Bene. E adesso un bel salto nella macchina del tempo. Immaginatevi di avere un figlio di una dozzina d'anni e di portarlo a comprare le *scarpe da ginnastica*. Gennaio 2002. Non c'è bisogno che ve la rac-

conti io. Potete benissimo ricostruirvi la scena da so-
li. Ma guardatela bene, guardatela tutta. Il tipo di negozio, le facce dei commessi, la musica che c'è, i co-
lori, i manifesti sulle pareti, le scritte in inglese, le cose che non sono scarpe e che pure vendono lì dentro,
il sorriso di Michael Jordan, o di Ronaldo, o di Bag-
gio, o della Kournikova, le *centinaia* di scarpe che
stanno attaccate alle pareti, le decine di idee diverse
di scarpa che stanno appese lì, la presenza rassicurante delle mezze misure (36 e mezzo, finalmente), il
sedile su cui vostro figlio si siede per provare le scarpe, lo specchio in cui si guarda, le calze che comprate in sovrappiù perché sono appese alla cassa e lui le
vuole, la scatola dove mettono le scarpe nuove, il sac-
chetto, la faccia di vostro figlio che se ne esce con le
sue scarpe nuove. Già che ci siete date anche un'oc-
chiata ai vostri piedi. Probabilmente: scarpe da ginnastica. Siete un padre (una madre) con le scarpe da
ginnastica. Mio padre era Kennedy, ma non era così.

E adesso, un bell'esercizio: avanti e indietro, con
la macchina del tempo, tra il bambino con la pallina di gomma e quello del 2002. Avanti e indietro.
Un po' di volte. Fine dell'esercizio. Innestare il cervello. Pensare.

Domanda: che nesso c'è tra quello che in questo
momento avete in testa e il vostro disprezzo per il
consumismo, il vostro sdegno per le fabbriche in cui
quelle scarpe sono prodotte, e la vostra allergia ai
brand?

Auguri.

E INVECE

E invece pare che ce ne sia bisogno. La fretta con cui la gente si indigna, a sentire Kafka paragonato a McDonald's, brucia spesso qualsiasi possibilità di uscire dai luoghi comuni e provare a pensare da capo certi fenomeni. Vorrei chiarire che questo non è un saggio di estetica, e quindi le ragioni per cui Kafka rimane un'altra cosa rispetto a una catena di fast food non sono prese in esame. Con questo non voglio dire che non ci siano. So che ci sono. Ma la cosa che in questo contesto era importante ricordare è che ci sono anche molte cose *in comune* tra quei due mondi. Capire quali sono aiuta a capire chi siamo. Difendere le cosiddette opere d'arte, rifiutando come un insulto qualsiasi tentativo di metterle in connessione con altri mondi, serve a poco: l'idea di una loro celestiale purezza è un'astrazione mitica, e come fiaba non è nemmeno tanto utile. Bisognerebbe essere disposti a capire, piuttosto, che la loro grandezza consiste poprio nell'essere, al contempo, puri prodotti di consumo e iperboli della mente che sfuggono a qualsiasi logica di mercato. Pensare a Mozart come a un regista hollywoodiano non è un modo di distruggerne il mito, ma di legittimarlo, e in certo modo di spiegarlo. Dire che Beethoven è un brand non vuol dire insultarlo, vuol dire riportare coi piedi per terra un pezzo di storia che stiamo stupidamente trasformando in un'innocua leggenda. Se dico che una gita a Niketown e una visita alla Gare d'Orsay fanno muovere il nostro cervello in un modo molto simile non voglio dire, tout court, che Monet ha il valore di una scarpa da tennis. Però, stranamente, la gente capisce quello. Ha fretta di capire quello. Come se non si potesse permettere il rischio di pensarci almeno un attimo. Mi sa che, sotto sotto, sono atterriti dall'idea che qualcuno finisca per dimostrargli che un ragazzotto imbecille patito per Niketown vale come un commercialista che va matto per gli ultimi *Quartetti* di Beethoven. Quindi appena sentono puzza di ragionamenti che potrebbero portare da quelle parti, staccano l'audio.

Sordi alla meta.

BOCELLI

Bisogna andarci piano, comunque, con l'idea che la globalizzazione stenderebbe sul pianeta una glassa culturale nauseabonda e uguale per tutti. E più probabile che ne venga fuori un bel patchwork di assurdità. Faccio un esempio. L'ultimo disco di Bocelli. Se lo comprate in Italia ci trovate una canzone in inglese, *Someone like you*. Gli piaceva l'idea di incidere una canzone in inglese e l'ha fatto. Uno magari pensa: sarà per intortare l'audience americana. Globalizzazione! Il bello, però, è che se quel disco lo comprate in America, la canzone ce la trovate, ma non è in inglese: è in italiano. Non gliene fregava niente, a quelli, di capire le parole. Gli piace sentir cantare in italiano, fine.

Globalizzazione!

PLATONE

Uno che non ci stava, ad esempio, era Platone. Vedeva i poeti (Omero ma anche Euripide, nella sua definizione) tenere in pugno l'educazione e la formazione delle nuove generazioni di greci e gli si rizzavano i capelli sulla testa. Tutto un popolo che andava a scuola da dei poeti? Lui aveva in mente i filosofi (qualcosa di simile a degli scienziati saggi ed eticamente inappuntabili) e giustamente non si dava pace a vedere che a scuola, per insegnare come andava il mondo, usassero Omero: in confronto a Socrate, una specie di Walt Disney. Lui pensava che ciò che si doveva insegnare era "la conoscenza delle cose quali realmente sono". Cosa c'entravano le belle storie dell'*Iliade*? Che poi, per giunta, erano raccontate così bene che la gente, ascoltandole, metteva il cervello in pausa e si lasciava lobotomizzare allegramente. "La poesia produce una paralisi del pensiero," diceva, letteralmente. E si incazzava. Come si può verificare nel decimo libro della *Repubblica*. Che è una specie di saggio contro Hollywood.

REGGIO CALABRIA

Quel che penso di queste faccende è riassumibile in una cosa che mi è accaduto di vedere, mesi fa, a Reggio Calabria. Lì c'è un lungomare nuovo di pacca, nel senso che dopo anni in cui passava la ferrovia, in riva al mare, separando città e acqua, finalmente si sono convinti a interrare la ferrovia e a restituire il mare alla città. Per cui adesso se la godono come due fidanzati che lui è tornato da militare. Tutti lì a passeggiare, a qualsiasi ora è una festa. Va be'. Passavo da lì e a un certo punto vedo, sulla spiaggia, due sposi con il solito codazzo di fotografi e parenti. Tacchi a spillo sulla sabbia, la nonna che si arena come una balena suicida, bambini grassi che tirano riso nel mare. Mi son fermato a guardare. C'erano anche delle barchette, tirate su sulla sabbia, barche da pescatori, belle colorate, di legno. E i due sposi sono saliti su quella più bella, era tutta blu e verde, un piccolo peschereccio. Quello che faceva il film (adesso le foto non usano più tanto: agli sposi si fa il film) aveva avuto un'idea. I due sposini sono andati a prua e si sono messi proprio nella stessa posizione di Di Caprio e la Winslet nel *Titanic*: in piedi, le braccia spalancate, lei davanti lui dietro, a prendere l'aria di prua. Be', si sono messi di impegno e nonostante la barchetta, le tonnellate di vestito bianco e l'inesorabile mancanza di vento, si sono girati la loro bella scena, loro due che guardavano l'infinito davanti a sé (che poi era lo Stretto, e appena dietro, la

Sicilia) e il fotografo che li riprendeva con la sua videocamera. Puoi giurare che, in montaggio, ci schiaffava su la canzone di Céline Dion. Tutt'intorno parenti e curiosi si sbellicavano dalle risa. È partito anche un applauso. Poi sono scesi e se ne sono andati a mangiare da qualche parte. Si gridavano dietro cose in dialetto stretto, incomprensibili.

Ecco riassunto in una domanda tutto quello che non capisco della globalizzazione culturale: ma lì, a Reggio Calabria, in quel momento, *chi stava fregando chi*? Hollywood si stava rubando l'anima di tutti, o Reggio Calabria esorcizzava definitivamente Hollywood, prendendola per i fondelli? Chi esce sconfitto da quell'immagine: *Titanic*, i due sposini, nessuno, tutti quanti?

Indice

Universale Economica Feltrinelli
SUPER UE

STEFANO BENNI
DOTTOR NIÙ
Corsivi diabolici per tragedie evitabili

Catastroficamente. Profeticamente. Diabolicamente Benni.

KATE FILLION, ELLEN LADOWSKY
COME MOLLARE UN UOMO
Manuale di una codarda

*Humour e saggezza di due "esperte"
nell'arte di troncare relazioni senza futuro.*

ROBERT L. WOLKE
AL SUO BARBIERE EINSTEIN LA RACCONTAVA COSÌ
Vita quotidiana e quesiti scientifici

*La vita quotidiana e le domande a cui solo la scienza
può rispondere. Con semplicità.*

CELIA CORREAS ZAPATA
LA VITA SECONDO ISABEL
Isabel Allende da *La casa degli spiriti* a *La figlia della fortuna*

*Una biografia entusiasmante. Uno sguardo a tutto tondo
sulla più grande autrice latinoamericana.*

ISABEL LOSADA
VOGLIO VIVERE COSÌ
Una donna alla ricerca dell'illuminazione

*Tutti i modi possibili per provare (e trovare) un nuovo equilibrio
interiore. Una storia in prima persona vitale, ironica, appassionata.*

MANUEL VÁZQUEZ MONTALBÁN
HO AMMAZZATO J.F. KENNEDY

Episodio numero uno. La nascita di Pepe Carvalho.

ALBERTO ARBASINO
RAP!

*Un libro veramente politico. Un libro veramente libero.
Un Super-Arbasino.*

GABY HAUPTMANN
DI AMANTI NON CE N'È MAI ABBASTANZA

Eros nero. Eros giallo. Eros rosa.

KAREN KARBO
GENERAZIONE EX
Storie di donne felicemente divorziate

La vita alle prese con ex mariti, ex mogli, ex ex, figli degli ex, ex suoceri.

LUCA "ZULÙ" PERSICO
CARTOLINE ZAPATISTE
In viaggio con Marcos e con la 99 Posse
Cura di E. "Gomma" Guarneri

*On the road da San Cristobàl de las Casas a Città del Messico
col subcomandante e gli indios.*

ALBERTO ARBASINO
RAP 2

La poesia civile. La Musa con il muso. Ancora a ritmo di rap.

PAOLO RUMIZ, FRANCESCO ALTAN
TRE UOMINI IN BICICLETTA
Note tecniche di Emilio Rigatti

*Un viaggio in bicicletta da Trieste a Istanbul, via Mitteleuropa,
Balcani, Danubio, Islam, Bisanzio.*

DANIELE LUTTAZZI
BENVENUTI IN ITALIA
Le opinioni espresse dal Capo del Governo non rispecchiano
necessariamente quelle degli abitanti

Politica e eros: un connubio satirico.

PINO CACUCCI
MASTRUZZI INDAGA

Cacucci giallo-nero ha creato il suo Maigret.

Stampa Grafica Sipiel
Milano, settembre 2002